DAVI
LAGO

MARCELO
GALUPPO

#UM DIA SEM RECLAMAR

#umdiasemreclamar

14ª edição: Janeiro 2025

Autores:
Marcelo Galuppo
Davi Lago

Preparação:
Magno Paganelli

Revisão:
3GB Consulting e Ana Grillo

Projeto gráfico e capa:
Jéssica Wendy

Impressão
Plena Print

DADOS INTERNACIONAIS DE CATALOGAÇÃO NA PUBLICAÇÃO (CIP)

Lago, Davi.
#umdiasemreclamar: descubra por que a gratidão pode mudar a sua vida / Davi Lago, Marcelo Galuppo. -- Porto Alegre : CDG, 2020.
160 p.

ISBN: 978-65-87885-04-9

1. Gratidão 2. Ética 3. Autoajuda I. Título II. Galuppo, Marcelo

20-3548 CDD 158.1

Angélica Ilacqua - Bibliotecária - CRB-8/7057

Produção editorial e distribuição:

contato@citadel.com.br
www.citadel.com.br

DAVI
LAGO

MARCELO
GALUPPO

#UM DIA SEM RECLAMAR

Descubra por que a GRATIDÃO
pode mudar a sua vida.

SU MÁ RIO

PRE
FÁ
CIO

CAMINHO DA GRATIDÃO

A gratidão, mais que nobre gesto de reconhecimento, permite enxergar a realidade de modo diferente. Cultivá-la, de modo profundo, é essencial, conforme bem indica o papa Francisco: "Gratidão não é simplesmente uma palavra amável para se usar com os estranhos e ser educado". Ser grato é sinal de maturidade, virtude dos que são reverentes à vida e, a exemplo de Jesus Cristo, permanecem serenos mesmo ante as adversidades. Quem é grato tem clareza sobre essa realidade, por isso é mais feliz.

Há os que enfrentam enfermidades, situações de miséria, até mesmo a solidão, mas não se abatem pela tristeza, apegam-se à esperança e experimentam profunda alegria. Percebem que a existência não se restringe às dores, também efêmeras. Essa profunda compreensão é coerente com o que ensina a fé cristã.

A Palavra de Deus, fonte inesgotável de valores, em muitas passagens, orienta o ser humano a ser grato, a exemplo da indicação de São Paulo Apóstolo na Primeira Carta aos Tessalonicenses: "Dai graças, em toda e qualquer situação, porque esta é a vontade de Deus, no Cristo Jesus, a vosso respeito". Seguir a vontade de Deus é caminho para a liberdade e a genuína alegria.

A gratidão transforma o coração, ilumina os olhos para enxergar as muitas riquezas, dons de Deus oferecidos à humanidade. Conduz ao reconhecimento do bem que se recebe do próximo, do irmão. Agradecer sempre, com sinceridade, fortalece o sentido de reverência e respeito. Cria e consolida vínculos de proximidade e reciprocidade.

Gratidão é remédio com poder para superar sentimentos que obscurecem a vida, fecundando a capacidade moral de ser melhor a cada dia. Cura a soberba, a inveja e o orgulho, venenos na vida pessoal, articuladores de uma sociedade que adota as dinâmicas desastrosas da disputa, do ódio e do individualismo. Dissipa os males que enfraquecem a compaixão e intensificam a indiferença.

A leitura destas reflexões, com referências da Ética e da Religião, oferece a oportunidade para exercitar a capacidade humana, que também é dom de Deus, de ser grato. Que cada página possa inspirar esse sentimento, fonte de apreço pela vida, sinal de maturidade na relação com o mundo e com as pessoas, sustento para o qualificado exercício da cidadania.

Dom Walmor Oliveira de Azevedo,

Presidente da CNBB

1

OS MALES DA INGRATIDÃO

SE HÁ ALGO UNIVERSALMENTE REPUDIADO É A INGRATIDÃO.

Ninguém gosta de pessoas ingratas. Dificilmente alguém atribui a si mesmo a ingratidão, defeito moral que geralmente atribuímos aos outros. Não é comum se ouvir falar de alguém que, perguntado pelo gerente de Recursos Humanos durante uma entrevista de emprego sobre que defeito teria, tivesse respondido: "Sou ingrato". Há um forte sentimento moral de reprovação dos atos de ingratidão e, consequentemente, de aprovação moral dos atos de gratidão.

É fácil perceber que a cultura em geral condena a ingratidão. Nos escritos dos filósofos ocidentais e orientais, nos mitos gregos, no hinduísmo, no budismo, no judaísmo e no cristianismo, na história da Guerra de Troia, nas fábulas de Esopo, de La Fontaine e de Pérrault, dos irmãos Grimm, no *Inferno*, de Dante Alighieri, em *Otelo*, *Macbeth* e *Júlio César*, de William Shakespeare, *O morro dos ventos uivantes*, de Emily Brontë, no *Dom Casmurro* de Machado de Assis e no *Grande sertão: veredas*, de João Guimarães Rosa, a ingratidão é sempre avaliada como um vício de trágicas consequências.

Tome o *Bhagavad Gita*, por exemplo, um clássico do hinduísmo e da filosofia oriental. Nele o arqueiro Arjuna está prestes a engajar-se em uma batalha ao lado da dinastia dos Pandavas contra a dinastia dos Kauravas. Quando, já no campo de batalha, contempla os dois exércitos, Arjuna fica imobilizado, pois vê em ambos os lados pais, avós, filhos, netos, sogros, tios, mestres, irmãos, companheiros e amigos. Não importava o que Arjuna fizesse: lutando de um lado ou de outro ele seria ingrato com alguém, pois em ambos havia pessoas a quem ele devia algo, e por isso ele se perguntou: "Devo matar meus próprios mestres que, apesar de cobiçarem meu reino, são, no entanto, meus professores sagrados? Eu preferiria comer nesta vida a comida de um mendigo do que comida real temperada com o sangue deles!".

Ou pense ainda no grande vilão do Novo Testamento, Judas Iscariotes, que traiu Jesus por um misto de ganância, inveja, egoísmo, despeito e ingratidão (não é coincidência que teólogos como São Tomás de Aquino tenham dedicado páginas e páginas ao tema da ingratidão).

Ou então considere o mito grego de Édipo: sua falta consistiu em que, mesmo sem sabê-lo, ele se casou com sua própria mãe após haver matado seu pai, uma grande ingratidão.

A ingratidão é algo execrável, por isso, ver um filho maltratar um pai nos causa mais repulsa e indignação do que ver um pai maltratar um filho. O filósofo David Hume disse: "De todos os crimes que as criaturas humanas são capazes de cometer, o mais terrível e antinatural é a ingratidão, sobretudo quando é cometida contra os pais e quando se mistura aos crimes mais flagrantes, que são a violência física e a morte". É por isso que em vários países, inclusive o Brasil, a ingratidão do herdeiro priva-o de seu direito à herança.

A ingratidão não apenas torna alguém repudiável: ela o isola. Esse isolamento pode ocorrer de duas maneiras. Em primeiro lugar, a ingratidão gera uma prevenção do mercado e das pessoas em geral contra quem a pratica, e à medida que alguém se torna conhecido como ingrato, mais dificilmente poderá contar com o apoio e os favores dos outros. Em segundo lugar, a ingratidão isola porque contamina os relacionamentos. Na medida em que alguém se mostra ingrato, não apenas aquele que lhe fez um favor, mas todos os que estão à sua volta são prejudicados com a injustiça de seu ato. Mesmo seus parentes e amigos sofrem com a ingratidão, porque os vícios de alguém afetam diretamente aqueles que lhe têm estima, como ensina o mito de Édipo. A ingratidão impede que nos tornemos verdadeiramente humanos, estendendo suas consequências a todos, não apenas ao ingrato e àquele que a recebeu como paga pelos seus favores. Portanto, sabermos o que são a gratidão e a ingratidão pode nos ajudar a viver uma vida melhor.

Esse será nosso percurso neste livro. Primeiramente, vamos discutir o que entendemos, do ponto de vista da Ética, por gratidão (e também por ingratidão), qual é a sua fonte e o que ela envolve. Passaremos em seguida a discutir as razões para sermos gratos e as razões por que, paradoxalmente, é tão difícil para nós sermos gratos. Depois, iremos propor sete exercícios de gratidão que pressupõem os conceitos apresentados nos três capítulos iniciais, cujo objetivo é despertar a consciência do sentimento de gratidão e ajudar a desenvolvê-la.

Finalmente, como um bônus, vamos discutir o que se deve fazer com relação às pessoas ingratas, propondo diferentes modos de lidar com elas. Trata-se de um bônus porque nesse capítulo discutimos não o que acontece com quem recebe um dom, um presente ou uma bênção, mas como uma pessoa que os dá deve agir com quem não reconhece o benefício que recebeu. Nossas fontes para isso serão principalmente a

Filosofia e os conceitos particulares de várias religiões, em especial o cristianismo, o judaísmo, o budismo e o hinduísmo. Todas elas fornecem bons exemplos para esclarecer nossa concepção filosófica de gratidão.

2

O QUE É A GRATIDÃO

O QUE SE FAZ QUANDO SE GANHA ALGO?

Tom Hanks agradeceu a sua esposa e a seus filhos por receber o Globo de Ouro pelo conjunto de sua obra em 2020; Malala Yousafzai agradeceu a seus pais e a seus professores por receber o Prêmio Nobel da Paz em 2014; o treinador Jorge Jesus, do Flamengo, agradeceu à torcida rubro-negra pelo apoio ao time em 2019, quando conquistou o Campeonato Brasileiro e a Taça

Libertadores da América; Andrew Sandness agradeceu, em 2017, a Lily Ross, por lhe ter doado o rosto de seu falecido marido, em um dos transplantes de rosto mais bem-sucedidos de todos os tempos. Os israelitas compilaram no livro dos Salmos inúmeras orações de agradecimento, e o grande filósofo Aristóteles (384-322 a.C.) percebeu que o discurso de agradecimento é uma constante nas relações humanas, ao ponto de dedicar-se a analisar o chamado *discurso demonstrativo*, em que se elogia ou se censura alguém, e, consequentemente, em que se agradece ou se repreende alguém ou algum feito. E é impressionante que, ao sistematizar os discursos em três tipos, Aristóteles pense que haja um deles dedicado precisamente ao agradecimento.

O agradecimento é a resposta adequada do ser humano quando recebe algo. Em geral, nós agradecemos quando alguém segura uma porta de elevador para entrarmos ou quando nos telefonam para dar uma boa notícia. Somos gratos quando recebemos algo de alguém. Somos gratos por Paul McCartney ter composto "Yesterday"; somos gratos pelas defesas de Taffarel na Copa do Mundo de Futebol de 1994;

somos gratos por Clarice Lispector ter escrito *A hora da estrela*. Também podemos ser gratos ao nosso gato, quando se aconchega a nós, ronronando. Somos gratos quando recebemos um presente. Somos gratos porque reconhecemos o bem que alguém nos fez. Mas não são só as palavras que expressam a gratidão. Há, por exemplo, o caso de Luís.

Desde cedo, Luís trabalhou no porto de Manaus, em um armazém que era de propriedade de seu pai, Mário – um homem muito simples e rude. Quando completou dezoito anos, Luís encheu-se de coragem e, com certo temor, pediu ao pai que começasse a lhe pagar um salário mínimo pelo seu serviço. Até então, Luís nunca havia recebido por seu trabalho, mas ele já namorava com Ana e queria se casar com ela algum dia. Quando Luís pediu ao pai que passasse a remunerá-lo, este o despediu. Luís, então, procurou seu padrinho, Francisco, dono de um pequeno hotel, para pedir-lhe um emprego. Mas Francisco lhe fez outra proposta: durante um ano, pagaria um salário mínimo por mês a Luís, não para que ele trabalhasse, mas para que ele estudasse para o vestibular de Direito na Universidade

Federal do Amazonas. Luís agarrou aquela oportunidade com muito entusiasmo, e em parte por seus dons naturais, em parte por causa do estudo que aquela bolsa lhe proporcionou, Luís passou em primeiro lugar no vestibular. Luís se casou com Ana no dia seguinte à sua formatura no curso de Direito.

Seu primeiro cliente foi um libanês chamado Said, que pagou pelos serviços prestados com uma pequena sala em um prédio comercial, onde Luís instalou seu escritório. Graças a seu talento, o escritório cresceu para se tornar um dos maiores escritórios de advocacia de Manaus. Passados muitos anos, Francisco morreu. O hotel de Francisco havia ido à falência vinte anos antes e era Luís quem mantinha seus padrinhos com uma mesada. Luís havia também custeado toda a educação dos dois filhos de Francisco, e foi ele quem sustentou a viúva de Francisco até a sua morte.

No ano passado, Said morreu. Sua viúva procurou por Luís e pediu-lhe que cuidasse do espólio de Said. Para surpresa de Luís, ao começar a inventariar os bens, ele descobriu que, antes de morrer, Said havia consumido quase todo o patrimônio de sua empresa em maus negócios. Luís nunca pensou em cobrar da viúva de Said pelo inventário, mas também nunca pensou que iria fazer o que fez. Ao final do processo, Luís não só não cobrou pelo serviço como também doou à viúva a sala que Said lhe dera em pagamento, muitos anos antes. Ele disse para a viúva: "A sala que o seu Said me deu, quando comecei a advogar, valia muito mais do que o serviço que prestei para ele, e sempre pensei que aquilo era injusto. Entenda, dona Joana, não estou fazendo caridade, estou fazendo justiça".

Essa é uma história real sobre generosidade movida por gratidão.

Agradecer – questões linguísticas

Em todos os idiomas há uma palavra ou frase para expressar gratidão: *Gracias* em espanhol, *thank you* em inglês, *danke* em alemão, *grazie* em italiano, *takk* em norueguês, *epharistó* em grego, *todah rabash* em hebraico, *tesekkür* em turco, *asanti* em suaíli, *spasiba* em russo, *multumesc* em romeno, *shukran* em árabe, *danyavad shukria* em híndi, *arigato* em japonês, *doh shieh* em mandarim... Mas, em português, a palavra para agradecer tem um significado especial, se a comparamos a outras línguas modernas.

O professor António Nóvoa, em um vídeo que ficou famoso na internet (que você pode assistir com o QR Code abaixo), distingue três níveis do agradecimento (palavra com a mesma origem etimológica de gratidão e de graça) a partir do ensino de São Tomás de Aquino (1225-1274). Para Tomás de Aquino, há três graus na gratidão: "O primeiro é que o homem reconheça o benefício recebido; o segundo consiste no louvor e na ação de graças; o terceiro consiste em prestar a retribuição no lugar apropriado e no momento oportuno, de acordo com as posses de cada um".

O nível mais superficial de agradecimento é o nível do reconhecimento meramente intelectual: meu intelecto reconhece que alguém me foi útil. Esse é o nível da língua inglesa, em que a expressão para o agradecimento é "*thank you*" (de *to think*, pensar) – ou da alemã, em que a palavra é "*danke*" (de *denken*). Aliás, é interessante notar que em alemão, pelo menos no dicionário, agradecer (*danken*) vem antes de pensar (*denken*). O nível intermediário é o nível do favor que se presta, nível da língua francesa, em que a expressão para agradecimento é "*merci*" (pois recebo uma mercê, um favor, uma graça) – mesma ideia do castelhano "*gracias*" e do italiano "*grazie*". O nível superior é o nível do vínculo, o nível em que nos sentimos ligados a alguém pelo que nos fez, nível da língua portuguesa, em que a expressão de agradecimento é "obrigado": eu me sinto obrigado diante de você pelo que você me fez. Mas obrigado a que, exatamente?

A palavra agradecer e a palavra gratidão vêm do latim *gratia*, que, por sua vez, vem do grego χάρις (*charis*), que quer dizer graça, dom, presente recebido: algo que recebemos de outra pessoa, de Deus ou da natureza, algo que é importante para nós, mas que nós mesmos não podemos prover, algo que só podemos gozar e usufruir se nos for dado. A partir da *Septuaginta*[1], descobrimos que a palavra hebraica que lhe corresponde é *hnn* ou *hen* (חֶסֶד), que significa um

1 A *Septuaginta* é a tradução do Antigo Testamento (Bíblia), do hebraico para o grego, realizada entre os séculos 3 e 1 a.C.

favor gratuito, intencional e especial feito pelo soberano ao súdito. Gratidão envolve alguém que presenteia algo voluntariamente a outra pessoa que não pode prover-se desse bem ou dom, indicando, portanto, uma carência de quem recebe algo, carência não só porque não possui a coisa, mas, sobretudo, porque não tem condições de conquistar ou adquirir aquilo.

Essa carência (ou dependência) envolvida na gratidão é o que leva Victoria Camps a defini-la como "o sentimento dos pobres, dos que nada têm e a quem tudo vem dado pela graça por alguém" – ou, como Jesus Cristo aponta no Sermão do Monte, o sentimento dos "humildes de espírito".

Dependência

A dependência é a fonte da gratidão, que é uma resposta positiva sob a forma de um sentimento a um benefício voluntariamente concedido a que não se tem direito. Ser grato é reconhecer que aquilo que é importante para nós não depende apenas de nossas forças, ou melhor, depende principalmente, ou exclusivamente, de outra pessoa. Isso também significa que, por depender da vontade de outra pessoa, não temos o direito de reivindicar tal bem ou dom: ele nos vem de graça.

Nós, seres humanos, somos essencialmente seres dependentes. Já fomos comparados a outros seres vivos, desde abelhas até vírus, mas talvez o ser a que mais nos assemelhemos sejam os liquens. Liquens são o produto da simbiose entre duas outras espécies, as algas e os fungos. Se tiramos as algas dos liquens, não há liquens, mas fungos. Se tiramos os fungos dos liquens, não há liquens, mas algas. Nós somos exatamente assim: dependemos tanto uns dos outros que, se tirarmos os outros, deixamos de ser o que somos, e talvez nem possamos existir. Somos dependentes uns dos outros, e é pouco provável que haja outros animais como nós, que dependam tanto de seus pais simplesmente para sobreviver durante boa parte de sua vida.

A modernidade, no entanto, difundiu no Ocidente a ideia de que somos seres autônomos, independentes, os únicos responsáveis por nosso destino. É quase impossível discutir aqui as causas que deram origem a esse modo de nos concebermos, mas podemos apontá-las todas na Europa dos séculos 15 e 16: o Humanismo, o Renascimento, o desenvolvimento do capitalismo, as grandes navegações, a Reforma Protestante e a Revolução Científica levaram o ser humano a conceber-se, primeiro, epistemologicamente, como a fonte do conhecimento, depois, eticamente, como ser autônomo, e finalmente, econômica e politicamente, como o burguês, que se sustenta no próprio mérito para se inserir no mundo social, independentemente de outros seres humanos. No arcabouço dos ideais modernos, aparentemente, cada um de nós é o único responsável pelo seu próprio destino. Nossas escolhas e nosso empenho em realizá-las parecem ser para nós os únicos responsáveis por sermos quem somos.

Trata-se de um equívoco. Há muito de nossas próprias escolhas naquilo que somos, mas há também agentes externos que não controlamos e que também determinam que sejamos quem somos, chame-se a isso de Deus, destino, sorte, coincidência ou simplesmente acaso. Como ensinava Sêneca a seu discípulo Lucílio:

> O destino guia quem o segue, [mas] arrasta quem lhe resiste! [...] Uma alma verdadeiramente grande é aquela que se confia ao destino. Mesquinho e degenerado, pelo contrário, é o homem que tenta resistir, [...] que acha preferível corrigir os deuses a emendar-se a si próprio!

Sábias palavras. A maior parte de nossa vida depende muito mais do destino do que de nosso simples desejo, e é por isso que o filósofo chinês Confúcio (século 6 a.C.) entendia que a única coisa que dependeria exclusivamente de nós seria o nosso caráter. Não podemos escolher se seremos ricos ou pobres, mas podemos escolher se seremos honestos ou desonestos. Não podemos escolher se seremos saudáveis ou doentes, mas podemos escolher se teremos ou não coragem para enfrentar a doença.

Somos seres dependentes. Dependemos uns dos outros e de fatores que não controlamos. Por mais legítimo que seja estabelecer metas e objetivos na vida e procurar os meios necessários para implementá-los, nada pode nos assegurar que eles serão atingidos. Não podemos escolher nosso futuro, mas podemos escolher a gratidão, independentemente do que nos aconteça.

A ingratidão

A ingratidão, por sua vez, consiste em não retribuir a graça ou presente recebido, ou, pior, em esconder dos outros o fato de se ter recebido uma graça ou dom de um terceiro ou, ainda pior, em nem sequer reconhecer que se recebeu uma graça, presente ou benefício. A fonte da ingratidão é a *soberba*, a arrogância de quem se vê superior aos demais e por isso afirma não depender de ninguém, concebendo-se a si próprio como autossuficiente. Mas essa soberba é irracional e não resiste ao teste da realidade: para sermos concebidos, precisamos de duas pessoas, uma das quais irá nos gerar; ao morrermos, precisaremos de pelo menos mais quatro que carreguem o nosso caixão. Entre o nascimento e a morte, precisamos de milhares de outras pessoas. Parafraseando o grande escritor inglês C. S. Lewis (1898-1963), o soberbo vê a todos como dependentes de si, mas não consegue perceber que ele também depende de outros. Por isso a soberba "corrói a possibilidade mesma do amor, do contentamento e até do bom senso".

A relação entre a soberba e a ingratidão já foi observada por Miguel de Cervantes (1547-1616) em uma carta que seu personagem Dom Quixote escreveu a Sancho Pança, aconselhando-o sobre como deveria agir para ser um bom governador. Dom Quixote lembra a seu fiel escudeiro que "a ingratidão é filha da soberba". Um coração ingrato é terreno fértil para todo tipo de maldade. Se a gratidão é fruto do reconhecimento da dependência, o egoísmo e a soberba são a origem da ingratidão. Por isso o filósofo André Comte-Sponville afirma que "o egoísta é ingrato: não porque não goste de receber, mas porque não gosta de reconhecer o que deve a outrem".

Alguns podem pensar que a fonte da ingratidão não seria a soberba, mas a nossa dificuldade em aceitar as coisas como são, dificuldade gerada pela distância entre o ideal e o real, quando há o primado absoluto do princípio do prazer sobre o princípio da realidade, característico da vida das crianças. Ou seja, temos dificuldade em lidar com a distância que muitas vezes existe entre nossos desejos e expectativas em relação à vida e à realidade que se impõe diante de nós – que pode ser mais árdua que nossos planos e até brutal. Mas quando investigamos a fundo, descobrimos que essa distância não é a causa originária da ingratidão: no máximo é uma causa derivada, decorrente da visão exagerada e deturpada que formulamos sobre nós mesmos.

Temos a tendência de projetar sobre nossas vidas uma expectativa descomedida, exagerando nosso valor em detrimento do valor dos outros. Iludimos a nós mesmos sobre o poder que temos de conduzir nossa vida como quisermos, sobre o poder que temos sobre nosso destino. São o egoísmo e a soberba que elegem a nós como critério e modelo para o mundo, que produzem uma defasagem entre o ideal e o real.

A ética da gratidão

Não basta dizer o que a gratidão é: precisamos saber também o que a gratidão não é. E o mesmo ocorre com a ingratidão. Por exemplo, ingratidão não se confunde com traição. Há, evidentemente, uma profunda conexão entre ambas, pois implicam a ideia de se retribuir um bem com um mal. Por isso, ingratidão e traição muitas vezes são tratadas como sinônimos. Mas, se é verdade que todo traidor é um ingrato, não é verdade que todo ingrato é um traidor. A traição é um tipo de ingratidão que remete ao futuro (alguém trai hoje uma pessoa a quem deveria ser fiel por gratidão, a fim de obter um benefício no futuro), enquanto a ingratidão, em sua forma mais comum, remete ao passado (eu reajo hoje de maneira indigna a um favor ou benefício que me foi prestado por alguém ontem). A traição ocorre quando instrumentalizamos de maneira ingrata a nossa ação para obter uma vantagem, diferente da mera sensação de sermos os únicos responsáveis pelo nosso destino.

Por sua vez, a gratidão não é uma simples retribuição de uma ação benéfica, mas a retribuição do *sentimento* que motiva a eventual retribuição. A retribuição da ação é importante, mas ela pode ser apenas um modo de não gerar interdependência, um modo de se desvincular de alguém, e não de se vincular. Retribuir a ação é pagar, ficar quite, não dever mais nada a alguém, e isso pode ser feito independentemente de qualquer virtude ou sentimento da pessoa que retribui, enquanto a gratidão é mais do que isso. Gratidão é sair do "zero a zero" que a ideia de retribuição envolve.

Comte-Sponville observa que, se a gratidão fosse apenas pagar um favor com outro favor, então ela seria "servilidade disfarçada, egoísmo disfarçado, esperança disfarçada. Só se agradece[ria] para se ter mais (diz-se 'obrigado', [mas] pensa-se 'mais!' [...] Não [seria] virtude: [seria] vício". Além disso, retribuir é, em muitos casos, impossível (como retribuir alguém que me doou um rim? Quanto vale o órgão, para que eu fique quite?), e é provável que nos sintamos tanto mais gratos quanto mais difícil for a retribuição. A gratidão não é, portanto, apenas agradecer, expressar o reconhecimento pelo favor recebido, porque "agradecer é dar; ser grato é dividir".

A gratidão também não é algo que se produz *agregando-se algo ao outro* (como um pagamento por aquilo que nos fez), mas algo que se produz *em nós*, uma dívida que é ao mesmo tempo uma forma da alegria que se manifesta como contentamento em receber.

Há uma história real que ilustra bem essa ideia. Regina havia ido à escola de sua filha, Maria, buscá-la para trazê-la para casa. A porteira da escola disse-lhe que Maria havia passado mal e estava na enfermaria da escola. Regina correu até a enfermaria e encontrou sua filha sentada na maca. A enfermeira disse que ela estava bem, Regina se aliviou e foi com Maria até o carro. Depois de vinte minutos de trânsito, no meio de um engarrafamento, Maria começou a passar mal novamente, reclamando de dor e suando muito. De repente, Maria vomitou e desmaiou. Regina ficou desesperada: o trânsito estava parado. Regina começou a dirigir de maneira perigosa, "costurando" entre os carros, com o pisca-alerta ligado, para tentar chegar rapidamente ao hospital. Em uma dessas manobras, Regina quase derrubou a motocicleta de um entregador de pizzas. O motociclista alcançou o carro de Regina e, antes de dizer qualquer coisa, olhou para dentro do carro, viu Maria desmaiada, Regina aflita, e entendeu tudo. "Dona, vou abrir caminho para a senhora", disse o motociclista, e saiu buzinando e pedindo passagem com os braços.

Eles chegaram em cinco minutos ao hospital. Regina correu com a filha nos braços em direção à portaria e, quando olhou para trás, lembrou que deixara a sua bolsa dentro do carro e o carro aberto. Regina fez menção de voltar, mas o motociclista gritou: "Não se preocupe, dona, eu cuido do carro até a senhora poder voltar". Regina pensou: "Já devo a vida de minha filha a esse homem. Se ele furtar a bolsa, ainda assim terá valido a pena" – e consentiu de longe. O marido de Regina chegou quarenta minutos depois, viu seu carro aberto, com o pisca-alerta ainda ligado, agradeceu ao rapaz que estava cuidando dele, dispensou-o, trancou o carro e entrou.

Maria já estava melhor e Regina saiu, sem saber que o marido já havia dispensado o motociclista de seu posto. Regina não encontrou o motociclista. Sua bolsa e seus pertences estavam trancados dentro do carro. Regina nunca soube nem sequer o nome do rapaz, nunca conseguiu agradecer-lhe, mas, desde que isso ocorreu, há dez anos, ela ora por ele todas as noites. O fato de ela não ter retribuído não significa que não seja grata.

O filósofo Baruch Spinoza (1632-1677) afirmou em sua *Ética* que "o agradecimento ou gratidão é o desejo ou empenho de amor pelo qual nos esforçamos por fazer bem a quem, com igual afeto de amor, nos faz bem". Se considerarmos que, segundo Spinoza, o amor é "uma alegria acompanhada da ideia de uma causa exterior", então a gratidão é a alegria por termos recebido de alguém algo que nos era importante e que não éramos capazes de alcançar por nós mesmos, alegria que nos vincula pela interdependência ao outro, a quem queremos bem e, por isso, a quem também fazemos o bem. Gratidão envolve reciprocidade. Gratidão é uma das maneiras de dizer *amor*.

Por isso a gratidão, apesar de se manifestar em quem recebe o dom, mais do que em quem o concede, não se encerra naquela pessoa: gratidão é também compartilhamento solidário do dom, amor que transborda gerando serviço, que gera novamente amor. Como diz Victoria Camps, "a capacidade de agradecer não só mostra que se valoriza o que se tem, mas [...] se constitui [em] um caminho para a solidariedade com os que não têm". Há, portanto, uma importante questão ética na gratidão: ela apresenta uma justificativa para a ação (o reconhecimento da dependência que temos uns dos outros) e vincula determinado sentimento que se produz na pessoa agradecida por seu ato (uma espécie de amor).

3

POR QUE SER GRATO

A UTILIDADE DA GRATIDÃO

Há uma fábula de Esopo que se chama *A Formiga e a Pomba*. Ela conta que uma formiga começou a se afogar na água. Uma pomba que voava por ali viu a cena e, tomada de compaixão, arrancou um galhinho e jogou-o na água, pelo qual a formiga se salvou. Passado algum tempo, um passarinheiro besuntou caniços com visgo e prendeu a pomba. Vendo isso, a formiga mordeu o pé do passarinheiro, que se desequilibrou e agitou o caniço, facilitando a libertação da pomba.

Veja como, em primeiro lugar, a *gratidão estabelece vínculos de solidariedade* entre aquele que recebeu um favor e aquele que o praticou. Por meio da gratidão, os relacionamentos deixam de se pautar apenas por padrões utilitaristas, nos quais o outro só importa quando nos é útil: a solidariedade é um "efeito colateral da gratidão".

Em segundo lugar, a *gratidão também embeleza as pessoas,* torna-as mais *atraentes.* Para além do conceito jurídico e teológico de *cháris,* há nessa palavra grega um sentido estético. Os filósofos gregos Platão (428-327 a.C.) e Plotino (205-270) afirmavam que algo era belo se tivesse graça (se fosse *gracioso*). A beleza de algo dependeria do fato de que há uma característica intrínseca àquilo que é belo que não pode ser reduzida a outros conceitos (como proporção, harmonia ou dignidade), e que faz com que a coisa seja altamente apreciada em si mesma do ponto de vista estético.

Pode parecer que, quando dizemos que a gratidão embeleza a pessoa, devemos estar usando o termo beleza metaforicamente, com um sentido completamente diferente do que atribuímos ao termo quando dizemos que uma modelo famosa ou que uma obra de arte é bela, é graciosa, mas é exatamente o contrário: algo intrínseco (e, nesse sentido, exclusivo) à elegância inquestionável de Costanza Pascolato, ao drama e à perfeição dos afrescos de Michelangelo na Capela Sistina ou ao cuidado do advogado Luís com seus benfeitores, algo intrínseco a quem concede um favor, um dom ou uma graça, mas também intrínseco a quem, movido pela gratidão, desenvolve determinado sentimento em relação ao benfeitor, fazem deles pessoas graciosas, fazem deles seres únicos e dignos de alto apreço.

Em terceiro lugar, a gratidão é fonte de felicidade, alterando nosso cérebro e afastando a depressão, melhorando nosso sono, estimulando nossos relacionamentos amorosos e aumentando a nossa imunidade biológica. O professor Glenn Fox realizou um experimento para determinar essa conexão, expondo voluntários a depoimentos gravados por sobreviventes do Holocausto que se salvaram com a ajuda de outra pessoa. Os testemunhos foram "traduzidos" para a segunda pessoa, como se o depoimento fosse vivido pela pessoa que o ouvia (algo mais ou menos assim: "Imagine que, em uma noite de inverno, em um campo de concentração, você recebesse um agasalho de outro prisioneiro"), pedindo aos voluntários que tentassem se imaginar efetivamente naquelas situações. Esses voluntários foram submetidos a exames de ressonância magnética e descobriu-se que, naqueles que reportavam um sentimento de gratidão ao ouvir o depoimento, observava-se uma alteração na atividade das regiões do cérebro associadas à empatia, à regulação das emoções e ao processo de alívio do estresse. Algumas dessas regiões do cérebro também são estimuladas quando socializamos ou sentimos prazer (como afirmou a poeta Bruna Beber, "a felicidade é muito mais desconcertante que a dor").

Joel Wong e Joshua Brown descobriram algo semelhante em outra pesquisa. Eles dividiram trezentos voluntários em três grupos. Os integrantes do primeiro grupo escreveram semanalmente uma carta de agradecimento a alguém durante doze semanas (ainda que não fosse necessário que efetivamente enviassem a carta ao destinatário; de fato, apenas 23% dos voluntários desse grupo enviaram suas cartas). Nesse período, os integrantes do segundo grupo escreveram semanalmente uma carta sobre seus sentimentos negativos com relação às suas vidas. O terceiro grupo, de controle, não escreveu qualquer carta. O que Wong e Brown descobriram é que os integrantes do primeiro grupo reportaram uma melhora gradual de sua condição psíquica à medida que escreviam suas cartas.

Os pesquisadores, então, supuseram que isso ocorreu porque a gratidão nos liberaria de emoções tóxicas ao criar laços mais profundos entre as pessoas (os pesquisadores notaram, por exemplo, que o uso do pronome pessoal de primeira pessoa do plural – nós – foi mais comum nas cartas escritas por pessoas do primeiro grupo do que nas cartas dos integrantes do segundo grupo, e que naquelas cartas também houve menos expressão de sentimentos negativos, tais como ressentimento e raiva).

Além disso, um fato notável é que mesmo os integrantes do primeiro grupo que não enviaram suas cartas perceberam melhora em suas condições psíquicas (não é, portanto, a comunicação da gratidão a um benfeitor que produz em nós a felicidade, mas o fato de nos tornarmos conscientes do sentimento de que somos gratos). A neurociência e a psicologia comprovam que a gratidão reprograma nosso cérebro de tal forma que nos tornamos aos poucos mais felizes.

Para além da utilidade: comunidade e condição humana

Ninguém nega que a gratidão seja útil: quando se é grato, geramos laços de solidariedade e de fraternidade que nos amparam e nos consolam; quando somos gratos, tornamo-nos mais atraentes e mais felizes. Mas se fosse apenas isso, talvez bastasse que parecêssemos ser gratos, que agíssemos como se fôssemos gratos, sem que nosso sentimento se alterasse. Por causa das pessoas que possam manter uma "aparência de gratidão" apenas para desfrutar de benefícios práticos, o moralista francês François de La Rochefoucauld disse com sarcasmo: "Gratidão é meramente a esperança secreta por favores posteriores". Parecer ser grato é útil, mas basta aprofundarmos nossa reflexão para percebermos que a gratidão vai além da aparência e da utilidade: a gratidão diz respeito à ética inerente à nossa condição humana.

Em várias religiões, a gratidão marca nossa relação com Deus ou com a esfera da espiritualidade. O budismo, por exemplo, afirma que a gratidão produz o contentamento, que é considerado o maior de todos os tesouros. Esse é também o caso do judaísmo. Segundo a tradição rabínica, ninguém pediu para nascer, e por isso o fato de que estamos aqui é um dom divino, fruto da graça de Deus, sendo nossa vida um bem que não podemos prover por nós mesmos, mas de que, obviamente, necessitamos. Uma das cerimônias em que a percepção dessa realidade se concretiza é o *Bircat Hagomel*: antes da leitura da Torá (a lei escrita por Moisés), alguém que sobreviveu a um grande perigo vai à frente da sinagoga e pronuncia uma bênção de agradecimento: "Bendito és Tu, ó Senhor nosso Deus, Rei do Universo, que concede aos culpados beneficência, pois concedeu a mim o bem", ao que toda a congregação responde: "Amém; Aquele que te concedeu o bem, Ele te conceda todo o bem sempre". O agradecimento nos torna conscientes de que nossa vida é frágil, e está sempre na dependência de nosso relacionamento com outros (seja com Deus, seja com a comunidade).

A gratidão permite-nos estabelecer relacionamentos profundos e verdadeiros com as pessoas, sem o que não podemos ser felizes. O ingrato se relaciona com os outros apenas superficialmente e esporadicamente, porque, não envolvendo reciprocidade de afeto, apenas a dimensão externa das ações é requerida em seus relacionamentos, e por isso ele não pode nem conhecer nem ser conhecido verdadeiramente pelo outro. Os relacionamentos superficiais, entretanto, inviabilizam a vida em sociedade no longo prazo.

A gratidão produz vínculos sociais, e vemos isso, por exemplo, nos mandamentos dados por Deus a Moisés no monte Sinai. Entre eles, há um que diz: "Honra teu pai e tua mãe, conforme o SENHOR, teu Deus, te ordenou, a fim de que teus dias se prolonguem e que sejas feliz sobre a terra que o SENHOR, teu Deus, te dá". Trata-se de um princípio ético de justiça intergeracional: assim como nossos pais manifestaram seu amor por nós quando éramos incapazes de prover nosso próprio sustento, chega a hora de retribuirmos. Por acaso não é esse o fundamento ético do sistema de repartição da Previdência Social vigente no Brasil, em que uma geração custeia os benefícios sociais da geração que lhe antecedeu? Não necessariamente com bens (mas também com eles, se preciso for), mas sempre com amor. A gratidão recorda que somos como os nós de uma trama que nos prende uns aos outros, como na música de Arnaldo Antunes:

Antes de mim vieram os velhos
Os jovens vieram depois de mim
E estamos todos aqui
No meio do caminho dessa vida
Vinda antes de nós
E estamos todos a sós
No meio do caminho dessa vida
E estamos todos no meio
Quem chegou e quem faz tempo que veio
Ninguém no início ou no fim.

Em nosso nascimento, fomos naturalmente inseridos em uma família, com seus hábitos, seus valores, seus padrões de comportamento, que ajudaram a moldar quem somos. O mesmo se dá com a nação em que nos inserimos. A maioria de nós não o fez voluntariamente, mas por nascimento. É verdade que podemos mudar de família e até de nação. Mas o fato de que somos seres humanos nos insere definitivamente nessa grande comunidade que não conhece limites temporais ou espaciais, da qual não podemos sair: a humanidade. Temos uma linhagem genética e cultural que nos constitui seres humanos e que nos liga uns aos outros; temos um destino comum. Devemos ser gratos por isso, e é por meio da gratidão que nos apropriamos da nossa condição de membros dessas comunidades.

A gratidão, enfim, nos torna mais aceitáveis aos olhos dos seres humanos, mas nos torna também mais aceitáveis aos nossos próprios olhos, porque nos torna fortes. Reconhecer-se carente, vulnerável e dependente é abrir mão de toda soberba, é sobretudo reconhecer-se humano, permitindo que se estabeleçam vínculos de solidariedade entre nós. Conhecer a própria fraqueza é benéfico, reconhecer nossa dependência nos fortalece, como escreveu o apóstolo Paulo: “Quando sou fraco, então é que sou forte”.

4

POR QUE É TÃO DIFÍCIL SER GRATO

UMA VEZ QUE SABEMOS EM QUE CONSISTE A GRATIDÃO E A INGRATIDÃO, PODEMOS PENSAR QUE SERIA FÁCIL SERMOS GRATOS SE APENAS QUISÉSSEMOS SÊ-LO.

Na prática, sabemos que não é tão fácil quanto parece. Um antigo provérbio oriental diz que "as pessoas que ganham entradas são as que vaiam primeiro no teatro". Infelizmente a ingratidão está por toda parte, inclusive em nós mesmos. É importante, então, identificarmos quais são as barreiras que impedem a gratidão.

Uma falsa imagem sobre nós mesmos

Um primeiro obstáculo à gratidão é *nossa tendência a nos superestimarmos*, criando uma falsa autoimagem e tornando a tarefa de sermos gratos quase impossível de ser realizada. Nossos desejos devem ser realizados, nossa vontade é mais importante, nossos valores são os únicos que importam, e se o frustrarem, se o mundo real não for como o mundo que idealizamos, não temos razão para agradecer, pois valorizamos mais o que pedimos do que aquilo que recebemos. Por isso, somos muito rápidos em pedir e reivindicar e muito lentos em agradecer.

Conta-se que certa família, que viajaria para a praia por uma estrada perigosa, orou antes de partir pedindo por proteção durante a viagem. Aparentemente até hoje não se lembraram de agradecer por terem chegado a seu destino sem nenhum incidente. Um pouco de discernimento pode ajudar aqui. A imagem deturpada que temos a nosso respeito tende a nos levar a uma concepção de pessoas com direito a todas as coisas, inclusive aos benefícios, aos presentes e aos dons. Passamos a reivindicar, em vez de sermos gratos.

Reivindicar ou agradecer?

Um segundo obstáculo à gratidão é a nossa ânsia em reivindicar em vez de agradecer. É provável que você já tenha assistido ao filme *Forrest Gump* (1994). Forrest Gump, interpretado por Tom Hanks, é um jovem ingênuo que não parece ser muito esperto. Alista-se como por engano no Exército norte-americano durante a guerra do Vietnã. Lá, durante um ataque de vietcongues, ele salva heroicamente o tenente Dan Taylor (Gary Sinise), que, infelizmente, tem as duas pernas amputadas. Há uma grande diferença entre os dois personagens. Ainda que Forrest Gump não tenha perdido suas pernas, sempre foi vítima de *bullying* por causa de sua inteligência limitada e pelo fato de ter usado órteses ortopédicas quando criança. Mas, graças à influência de sua mãe, Forrest Gump aprendeu a viver no tempo presente, gozando cada momento de sua vida, sendo grato por cada um deles. Na vida de Forrest Gump, tudo vem como uma graça, um dom, um presente, pelo que ele é grato. Já Dan Taylor vive amargurado pelo que perdeu, protestando, contra o Exército americano e contra Deus, por terem lhe negado algo que era seu por direito (as pernas).

Victoria Camps observou que a sociedade ocidental contemporânea se tornou a sociedade dos direitos, ensinando-nos que temos direito a muitas coisas, mas sem nos mostrar o limite entre aquilo a que realmente temos direito e aquilo a que não temos direito:

> Acaso não tenho o que tenho porque o mereço, ou porque é meu direito? Por que é preciso demonstrar agradecimento por algo? Estamos mais habituados ao discurso dos direitos e do mérito do que a qualquer outro. Sabemos que temos certas coisas porque as merecemos, [nós] as ganhamos com nosso trabalho e nosso esforço. Já

> outras, temo-las porque temos direito a elas. Que razão pode haver para exigir reconhecimento pelos dons recebidos? É porque se pode chamá-los de dons? Acaso não é a linguagem do servo, uma linguagem passada e anacrônica?

Equivocadamente, a maioria de nós passou a imaginar que haveria um direito natural a tudo. Com isso, perdemos a capacidade de apreciar o que nos é dado de graça, o dom, o presente, o benefício, o favor. Isso não significa que devamos abrir mão de nossos direitos, que nos são assegurados pelo Estado e que foram conquistados por nós, mas certamente é preciso haver discernimento para distinguirmos o que é, de fato, nosso direito e o que não passa de simples desejo. Talvez seja exatamente a gratidão que auxilie a reencontrar o equilíbrio.

Este é o caso de Forrest Gump: ele é como São Francisco de Assis, que, mesmo na hora da morte, em meio ao sofrimento causado por suas muitas enfermidades, depois de ter saudado como "irmãos" o sol, a lua, as estrelas, o vento, o fogo, a água e a terra (dons gratuitos de Deus em nossa vida), consegue chamar também a morte de sua "irmã", e ser grato por ela:

Louvado sejas, meu Senhor,
por nossa irmã, a Morte corporal,
Da qual homem algum pode escapar.
Ai dos que morrerem em pecado mortal!
Felizes o que ela achar
Conformes à tua santíssima vontade,
porque a morte segunda não lhes fará mal!
Louvai e bendizei a meu Senhor,
E dai-lhe graças,
E servi-o com grande humildade.

Essa também é a lição do livro de Jó, no Antigo Testamento. Jó era um homem muito rico, cheio de saúde e com muitos filhos, um homem feliz. Por tudo isso Jó dava graças a Deus. Um dia o diabo provocou a Deus dizendo-lhe que Jó só lhe era grato porque tinha todos esses dons que lhe foram dados por Deus. Deus, então, autorizou o diabo a privar Jó de tudo o que tinha, menos de sua vida. Jó perdeu os bens, os filhos e a saúde física, mas disse: "Nu saí do ventre da minha mãe, nu para ela hei de voltar. O SENHOR deu, o SENHOR tomou. Bendito seja o nome do SENHOR! [...] Sempre aceitamos a felicidade como um dom de Deus. E a desgraça? Por que não aceitaríamos?". O que Jó manifestou nessas palavras é que ele reconhecia não ter direito a nenhuma dessas coisas: tudo era dom, graça, presente de Deus, e este não podia ser chamado de injusto por tirar-lhe qualquer dessas coisas que, afinal de contas, pertenciam a ele mesmo, não a Jó. E a Bíblia diz que Deus aprovou a atitude de Jó: "E o SENHOR elevou ao dobro todos os bens de Jó [...]. O SENHOR abençoou os anos de Jó a seguir, mais ainda que os anteriores".

Agradecer em todo o tempo e viver o presente

O terceiro obstáculo à gratidão é a *nossa dificuldade de valorizar as coisas boas da vida em meio às lutas e sofrimentos*. Simplesmente não podemos ser reféns das situações difíceis – senão, não viveríamos um dia sequer. Como bem observou o poeta Mário Quintana, "Os jornais sempre proclamam que a 'situação é crítica'", e isso provavelmente é verdade.

O livro de Jó nos ensina a sermos gratos mesmo em meio ao sofrimento. O mesmo ocorreu com o apóstolo Paulo. Em sua primeira carta aos moradores de Tessalônica, ele pediu-lhes que fossem sempre alegres, dando graças em *todas as circunstâncias,* mesmo em meio ao sofrimento. Paulo não pediu a seus irmãos que se sentissem agradecidos em alguns momentos ou apenas nos bons momentos, mas que fossem gratos em todos os momentos, inclusive nos maus!

Sabemos que não é fácil sentir-se grato depois da morte de um filho, em meio a uma doença grave ou quando se é demitido do emprego. Quando estamos no meio da tempestade, é difícil ser grato por ela. É claro que, vendo de fora e no longo prazo, há a possibilidade de se justificar a tempestade e todos os acontecimentos de modo a ser grato por eles. No longo prazo, um pai judeu pode ter agradecido por seu filho morrer antes que fosse enviado a um campo de concentração. No longo prazo, um homem pode agradecer por ter contraído um câncer, que foi o que lhe permitiu conhecer sua esposa, a enfermeira responsável pela quimioterapia. No longo prazo, alguém pode agradecer por sua demissão, que o levou a empreender e a ficar rico. Não é disso que se trata. Não se trata de avaliar as consequências dos acontecimentos, mas de perceber que os acontecimentos não dependem apenas de nós, de perceber que nós é que somos dependentes. Jó não sabia qual seria o final de sua história, mas sabia desde sempre que deveria ser grato, apesar dos sofrimentos.

Diante dos desafios tristes da vida, não podemos nos refugiar no passado ou no futuro. No caso do pai que agradece por seu filho não ter sido enviado ao campo de concentração, ou do marido que agradece por ter se casado com alguém da clínica de quimioterapia, ou do trabalhador que se descobre um empreendedor, é o futuro que legitima a gratidão. Mas o futuro e o passado não são reais. O futuro ainda não existe, e o passado nunca existiu (porque, quando existiu o tempo a que chamamos de passado, ele existiu como presente, e, de qualquer forma, não é mais real, não está mais presente).

Em geral é isso o que costumamos fazer, procurar no passado e no futuro toda a justificativa do que temos vivido no presente. Rubem Alves conta que as crianças geralmente são condenadas a viverem apenas em função de seu futuro – o que você vai ser quando crescer? Médico! Advogado! Engenheiro! E para isso é preciso estudar muito e brincar pouco: as crianças geralmente são privadas de seu presente e são concebidas como adultos em potencial. Mas, no caso de uma criança que tenha uma leucemia grave, o pai não irá perguntar o que ela quererá ser quando crescer, simplesmente porque ela não irá crescer. Por isso seu pai apenas pergunta: "De que você quer brincar hoje?".

Se o futuro lhe está sendo negado, essa criança recupera seu direito ao presente, interditado às demais, e, junto com ela, o pai também recupera o direito de ser pai novamente, não apenas o provedor, e por isso devemos ser gratos.

Muito de nossa incapacidade de apreciar a beleza do mundo que nos cerca e de sermos gratos está no fato de que perdemos a capacidade de viver no presente. Nossa vida, via de regra, é regida apenas pelo futuro ou pelo passado. Como dizem Mark Williams e Danny Penman, "Nós só temos um momento para viver, este momento, mas tendemos a viver no passado ou no futuro. É raro notarmos o que está acontecendo no presente". Quando percebemos que só podemos ser gratos pela vida presente, somos levados a perceber que tudo é um dom, que somos interdependentes em todas as coisas. Percebemos que a vida é um dom gratuito, e devemos estar agradecidos por cada momento em que inflamos o peito ou por cada momento em que ouvimos uma criança chamar pelo nosso nome.

Devemos ser gratos pelo tempo presente – é ilusório adiar a gratidão para um tempo futuro indeterminado, é inútil carregar o passado de reclamações e ressentimentos. Devemos ser gratos pelo que recebemos, e não pelo que gostaríamos de receber. Devemos aprender a viver no presente: a vida está acontecendo agora. Caminharemos adiante com gratidão ou não? Vamos envelhecer amargurados ou vamos nos tornar cada vez mais gratos, como uma criança? Afinal, somos "cada vez mais jovens nas fotografias", como diz a poeta Ana Martins Marques, ou seja, o tempo passará de qualquer maneira. Portanto, é importante lembrar hoje que a vida é um dom gratuito, que nos foi concedido sem que por ela pedíssemos e sem que a ela tivéssemos direito, e por isso só podemos ser agradecidos. Mas só podemos fazer isso nos concentrando no que temos, não no que nos falta.

Quando falamos que é possível ser grato mesmo em meio ao sofrimento e a eventos que só podem ter consequências ruins, como a perda de um filho para uma doença grave, afirmamos que mesmo nessas circunstâncias há ocasião para ser grato, não, obviamente, pela morte do ente querido, mas pelo tempo que viveu. Essa, talvez, seja a lição do filme *A Chegada,* de Denis Villeneuve (2016). Essa foi a lição de Randy Pausch, um professor universitário norte-americano que, acometido por um câncer incurável (que o matou em pouco tempo), proferiu uma conferência de despedida em sua universidade sobre como aproveitar a vida e sobre o que, de fato, importa nela. Gratidão é uma das palavras que sintetizam o modo como encarou sua vida (assista à palestra em inglês no Ted Talks com o QR Code ao lado).

Há uma parábola budista, contada por Daisetsu Teitaro Suzuki, que ilustra essa ideia. Havia um estudante, frustrado com a escola e preocupado com o futuro, que procurou seu professor em busca de alguma orientação sobre como agir. O professor lhe contou uma história, dizendo que havia um monge que estava caminhando pelas montanhas; de repente, apareceu um tigre, que começou a caçar o pobre rapaz. Para se proteger, ele correu para a beira do penhasco e desceu para uma plataforma na montanha, dependurando-se na raiz de uma árvore, de modo que aquele tigre não conseguia alcançá-lo. Alguns metros abaixo, ele viu outros quinze tigres, todos famintos e prontos a devorá-lo.

O monge estava ali, equilibrando-se e esperando que os tigres desistissem dele e fossem embora ou que ele se cansasse de se equilibrar e caísse para a morte certa. Para piorar a situação, a raiz na qual se dependurara estava se arrebentando aos poucos. De repente, o monge olhou para a esquerda e viu um pé de morango, no qual havia um único morango, maduro, vermelho, fragrante. O monge, então, pensou: "Mas que morango maravilhoso!". Logo, apanhou-o e comeu-o. O estudante esperou algum tempo para que o professor terminasse a história, mas depois de alguns minutos ficou claro que ela já havia se encerrado. E o estudante disse: "Mestre, não entendi... O monge está prestes a ser devorado e come um morango? Isso é tudo? Qual é a lição?". O mestre respondeu: "A lição é saber e abraçar a experiência de estar vivo. Você deve estar vivo a cada momento de sua vida. Olhe para você: você está fugindo dos tigres que estão perseguindo você, pensando como tudo seria melhor se fosse diferente. E você está tão ocupado com isso que não consegue olhar para o lado, ver que ali há um morango magnífico e saboreá-lo. Você está experimentando a sensação de ser a mais afortunada pessoa do mundo pelo que está presente em sua vida hoje ou você está sendo consumido pelo medo do que não está presente na sua vida, pelo medo do que pode lhe ocorrer no futuro?".

A parábola budista tem o mesmo sentido do filme *Forrest Gump:* podemos ficar preocupados com o que tivemos no passado e não temos mais, ou com o que tememos não ter no futuro, ou simplesmente gozar e ser gratos pelo que temos no presente.

Agradecer pelas pequenas coisas e pelas coisas em curso

Um quarto obstáculo à gratidão é *nossa incapacidade de comemorar os pequenos dons da vida.* Aqueles de nós que agradecem por algo geralmente lembram-se de fazê-lo diante de um *grande* dom, presente ou graça: a cura de uma doença grave (mas não de um resfriado); a contratação em um emprego, depois de meses desempregado (mas não por ter recebido um elogio de um cliente); a compra de um carro ou de uma casa (mas não de um par de chinelos). Vimos que o livro de Jó e a carta de Paulo nos ensinam a agradecer por todas as coisas (grandes e pequenas) e em todas as circunstâncias (favoráveis ou adversas). Nós certamente sabemos disso, mas só num plano intelectual (lembra-se dos graus da gratidão em São Tomás de Aquino?). A correria do cotidiano da vida e a repetição dos dons e das graças nos anestesiam de tal modo que nem sequer nos impressionamos quando recebemos os mais preciosos dos bens: um beijo da pessoa amada, um café oferecido ao visitarmos alguém ou simplesmente o abanar do rabo de um cachorro ao chegarmos em casa e a troca dos sapatos apertados do dia por um aconchegante par de chinelos. É muito difícil sermos gratos se esperamos apenas pelas grandes coisas para podermos agradecer; mas se passamos a agradecer pelas pequenas coisas, o tempo todo teremos oportunidade de expressar verdadeira gratidão pela vida.

Também será muito difícil aguardarmos que um processo seja concluído para termos o dom, o presente, a graça inteira ao nosso dispor. Ao contrário, o comum é que eles sejam recebidos em etapas, pouco a pouco. Antes que um tumor seja extirpado, muitas vezes ele simplesmente reduz de tamanho, e isso também é motivo para agradecermos: o processo de cura não chegou a seu fim, mas já se iniciou.

Devemos agradecer não só pelas coisas concluídas, mas também pelas coisas em curso. Há uma história bíblica no primeiro livro de Samuel que retrata isso. Os hebreus estavam em guerra com as nações poderosas ao seu redor e, entre elas, com algum destaque, a nação dos filisteus. Os filisteus haviam sido derrotados, e Samuel erigiu um memorial de pedra e o chamou de "*Ebenézer*, isto é, *Pedra de Socorro*", porque, disse ele, "até aqui o SENHOR nos socorreu". A guerra não havia chegado ao fim, mas a vitória provisória era motivo suficiente para Samuel ser grato: *Ebenézer*!

Ser grato pelas coisas em processo lembra a história de Brad Meyer, o inventor da barra de progresso na computação (aquele recurso gráfico que diz que 80%, 90%, 95% de um *download* ou de uma atualização de um programa já se concluiu). O que é interessante é que o progresso que ela indica (por exemplo, 90%) nunca corresponde exatamente ao progresso do *download* ou da atualização. Ela não retrata algo que ocorre objetivamente, no computador. A função dela é outra, subjetiva: ela acalma o usuário, dando-lhe a sensação de que algo está em processo. Se aprendermos a ser gratos pelo que está em processo, ficaremos menos ansiosos acerca de todas as coisas, acerca de nossas próprias vidas.

Por isso não armazene ingratidão. Como disse a poeta e *slammer* Mel Duarte, "Não guarde ingratidões, isso machuca o peito. Já se passaram tantas gerações, e o futuro sempre será incerto". Faça o oposto: some gratidão. Há um famoso hino cristão, composto por Johnson Oatman Jr., chamado *Count Your Blessings* (Conta tuas bênçãos). Tente contar as bênçãos, os presentes, os dons, as graças que você recebeu em apenas um dia, diz o hino: esse pode ser o melhor conforto no meio dos momentos difíceis da vida. É preciso aprender a parar na correria da vida e a contar tudo de bom que já recebemos. Certamente as grandes bênçãos, certamente os dons completos, mas também os abundantes e pequenos dons que recaem sobre nós, inclusive aqueles que são apenas parciais.

5

COMO SER GRATO: SETE EXERCÍCIOS DE GRATIDÃO

A PEDAGOGIA DA GRATIDÃO

Se a gratidão fosse apenas um dever, como pensava o filósofo prussiano Immanuel Kant (1724-1804), duas consequências decorreriam disso: alguém poderia ser grato ou poderia ser ingrato. A hipótese de Cássia ser mais grata que Fernanda, que seria mais grata que Antônio, não existia para Kant. O dever ou é cumprido ou é descumprido, ou tudo ou nada. Nesse exemplo, apenas Cássia pode ser considerada grata, sendo Fernanda e Antônio ingratos. Nossa experiência cotidiana, no entanto, indica que existem graus na gratidão. Um episódio da vida de Jesus é sobre isso.

Havia entre os judeus o dever de recolher o dízimo, a décima parte de toda a colheita, destinada à manutenção do templo. Um dia, Jesus viu no templo homens ricos depositando suas ofertas na caixa de contribuições. Havia também uma pobre viúva que depositou duas pequenas moedas na caixa da coleta. Em termos absolutos, ela deu muito menos que os homens ricos e deve ter impressionado bem menos aos sacerdotes do que os homens ricos; mas as duas moedinhas devem ter feito mais falta em seu orçamento do que a contribuição dos ricos fizera no orçamento deles.

Jesus, no entanto, afirmou que ela doou mais que os homens ricos: "Todos eles tiraram de seu supérfluo para depositar nas ofertas, mas ela tirou de sua miséria, para depositar tudo o que tinha para viver". Jesus não disse que os homens ricos não deram nada em sinal de gratidão, que não eram gratos ou que não cumpriram a lei em alguma medida. Ele disse que a mulher pobre dera mais em sinal de gratidão, fora mais agradecida (mostrara-se mais dependente de Deus) do que os ricos. Isso é especialmente importante se consideramos a condição de pobreza em que viviam as viúvas nos tempos bíblicos, não havendo nem trabalho, nem bens, nem previdência social que as sustentassem. Se repararmos o texto, e diferentemente do que propaga a teologia da prosperidade, nenhum benefício econômico decorreu para ela como fruto de seu sacrifício. Não foi o quanto ela deu, mas o que ela fez, o seu gesto, que agradou a Jesus, e sua recompensa não foram bens materiais, mas a própria graça.

Se a gratidão não é (apenas) um dever, talvez ela seja uma virtude, como a entende André Comte-Sponville, e, como virtude, ela possa se realizar de forma gradativa. Se alguém pode ser mais ou menos corajoso que outras pessoas, se alguém pode ser mais ou menos temperante, então as virtudes, inclusive a gratidão, admitem uma gradação.

Na tradição aristotélica, uma virtude é uma disposição adquirida para escolher determinadas ações, uma tendência a agir de determinado modo. Mas essa tendência não é inata. Quando nascemos, temos apenas a potencialidade de sermos virtuosos. Essa potencialidade se desenvolve em nós quando imitamos determinadas ações de modo repetido, o que produz em nós a segunda natureza, segundo a qual passamos a agir. Compare as virtudes com a etiqueta: usar a colher para tomar uma sopa é uma tendência que se desenvolve em nós pela imitação, não é um comportamento natural (ainda que não seja também contra a natureza).

Se a gratidão é uma virtude, além de se realizar de modo gradual, ela também pode ser desenvolvida, e podemos desenhar exercícios para desenvolvê-la; podemos estabelecer uma *pedagogia da gratidão*. Às vezes leva algum tempo para desenvolvermos adequadamente uma virtude, e o mesmo acontece com a gratidão, mas certamente ela pode ser desenvolvida. Você notará que os exercícios que propomos se sobrepõem, não apenas porque podem ser realizados concomitantemente, mas também porque os conceitos explicitados em alguns deles são pressupostos por outros. Assim, eles podem ser realizados sucessivamente ou simultaneamente.

1. FIQUE UM DIA SEM RECLAMAR

A nossa vida é experimentada um dia de cada vez, tanto que, ao final do dia, muitos de nós dizem: "Estou morto!" – e irão renascer depois de uma noite de sono reparador. Um único dia equivale a uma vida toda.

O primeiro exercício que propomos a você e que aparece no título deste livro dura apenas um dia, é o mais simples, o mais direto e, surpreendentemente, talvez o mais difícil deles: passe um dia (24 horas) sem reclamar. A principal função desse exercício é tornar-nos conscientes de que a ingratidão é o padrão natural do ser humano.

Para realizá-lo, você precisará registrar o horário em que iniciará o exercício. Não será preciso registrar quantas vezes você viola seu comando ("não reclamar") porque, a cada vez que você o fizer, você deverá reiniciar a contagem do tempo.

Em seu dicionário[2], Antônio Geraldo da Cunha diz que reclamar, em sua origem, é "fazer impugnação ou protesto, verbal ou por escrito, opor-se". Reclamar

---

2 *Dicionário Etimológico Nova Fronteira da Língua Portuguesa.*

significa exigir algo que entendemos ser nosso direito, sendo, portanto, um termo jurídico: "ele reclamou seu título sobre aquela coisa" (ou seja, reivindicou a propriedade de algo), "ele reclamou contra seu patrão" (ou seja, ele ingressou com uma ação para receber por seus direitos trabalhistas), "ele propôs uma reclamação no Supremo Tribunal Federal" (ou seja, propôs uma ação ao Supremo Tribunal Federal para levar ao conhecimento desta corte que um juiz usurpou sua competência). Quem reclama acredita que tem direito a algo. No entanto, a experiência ensina que reclamamos indistintamente com relação àquilo a que realmente temos direito e àquilo que nos é dado de graça. Por isso, esse exercício exige que durante 24 horas você simplesmente fique sem reclamar, inclusive renunciando àquilo que você pensa ser seu direito.

Note que há muitas maneiras de reclamar. Por exemplo, usando a buzina no trânsito (claro que não queremos que você deixe de evitar um acidente usando a buzina, mas queremos que você distinga o uso legítimo da buzina, como alerta, do uso da buzina como reclamação, pelo trânsito estar lento, por exemplo).

Outra forma de reclamar é apertando repetida e insistentemente o botão do elevador, antes que ele chegue (apertá-lo uma vez é o suficiente para acioná-lo para que venha até você e o transporte; mais de uma é impacientar-se com o fato de que, a seu juízo, ele está demorando, como se você fosse a única pessoa a ser servida por ele). Um suspiro (não um suspiro de amor, mas quando manifesta impaciência) conta também como uma reclamação. Você precisará de discernimento para distinguir que situações verbais e não verbais constituem uma reclamação de ingratidão e deverá reiniciar a contagem do tempo toda vez que reclamar de algo ou de alguém.

2. ESCREVA UM DIÁRIO DE GRATIDÃO

Durante pelo menos três meses, anote, ao final de cada dia, pelo menos uma razão pela qual você é grato (não importa onde: em um caderno, em um *blog* ou no próprio *smartphone*: o importante é que você mantenha um registro a que possa recorrer posteriormente para contar os motivos pelos quais você é grato). Esse exercício, como o anterior, pode ser muito mais difícil do que parece, pois há dias em que dificilmente encontraremos uma razão para sermos gratos. Aqui é preciso atentar para algumas regras.

Em primeiro lugar, o motivo pelo qual você expressa a gratidão deve ser autêntico. Isso quer dizer que não valem motivos como "Pelo ar que respiro", ou "Por mais um dia de vida". Quando dizemos autêntico, queremos que entenda que o motivo tem que ser seu, e não de toda a humanidade.

Em segundo lugar, o motivo pelo qual você expressa sua gratidão deve ter acontecido no mesmo dia em que você o registrar. Isso quer dizer que você não poderá criar um estoque de gratidão para cumprir esse exercício ("Hoje tenho dois motivos para ser grato, mas vou guardar um para amanhã").

Finalmente, o motivo do dia não pode repetir um motivo pelo qual você já foi grato durante os três meses do exercício (se você hoje agradeceu por ter conseguido apreciar a beleza de uma praça, você não poderá usar esse motivo no prazo de três meses novamente). Quando você não conseguir se lembrar de um motivo para agradecer, não escreva "Não tenho nada a agradecer hoje". Pareceria que ninguém lhe ofereceu nada nesse dia, e isso não é verdade: pode ter sido um sorriso, pode ter sido uma piada, pode ter sido um bom-dia dito por alguém, mas dificilmente passamos um dia sem que alguém, a natureza ou Deus nos ofereçam algo. Em lugar disso, escreva: "Não consegui me lembrar de nada pelo que agradecer hoje". A gratidão é um sentimento que ocorre *na pessoa que recebe,* portanto, o problema é com você, não com outra pessoa.

Além disso, repare bem no exemplo que demos anteriormente acerca daquilo pelo que agradecer. O agradecimento precisa ser sincero. Sincero vem do latim *sincerus*[3]. Agradeça sem se autoenganar. O engano aqui consistiria em colocar nas coisas, e não em si mesmo, o verdadeiro motivo para ser grato: agradeça,

---

3 Segundo Antenor Nascentes, a origem etimológica da palavra é um pouco obscura, referindo-se, provavelmente, ao mel separado da cera, sem cera, *sine cira*, puro. Sincero é sem cera. Também se diz que antiquários maquiavam com cera jarros e outros objetos de porcelana quando estavam trincados antes de vendê-los. Portanto, nesses casos, sem cera dá a entender "sem enganar alguém". (N.P.).

então, porque *você conseguiu apreciar* a beleza de uma praça, não porque hoje você viu uma praça bonita.

Foque no que ocorre *em você,* já que a gratidão é um tipo de sentimento, um modo de apreciar o mundo. Objetivamente, a beleza da praça sempre esteve ali para ser apreciada, você é que, subjetivamente, nunca conseguiu fazê-lo.

Acreditamos que, à medida que você for avançando ao longo das semanas com este exercício, será mais fácil encontrar motivos de gratidão, pois isso se tornará uma prática e você terá maior habilidade para reconhecer motivos pelos quais agradecer. Como neste exercício a nossa atenção passará a ser requerida para encontrar motivos de gratidão a fim de não fazermos feio ao final do dia, passamos a prestar mais atenção ao modo como reagimos àquilo que nos é dado. É provável que os motivos para ser grato sempre tenham estado presentes na sua vida, mas, como você não prestava atenção, acabava não se conscientizando deles.

3. ESCREVA CARTÕES DE GRATIDÃO

Antigamente, íamos à casa de nossa avó quando era seu aniversário, e lá nos encontrávamos com todos os nossos primos. Ela preparava brigadeiro e aquele bolo delicioso que só ela sabia fazer. Ficávamos ouvindo histórias de quando ela era criança, cantávamos parabéns juntos... hoje, enviamos um coração pelo WhatsApp e isso é tudo.

Certa vez, um de nós, em uma viagem ao estado da Pensilvânia, nos Estados Unidos, ouviu uma explicação de um casal *amish* para o fato de eles não terem telefones em suas casas. Eles disseram que, quando você precisa tratar de um assunto com alguém, se você o faz pelo telefone, terá uma conversa superficial que durará cinco minutos. Mas se, para poder conversar com essa pessoa, você tiver que preparar sua charrete, e tiver que percorrer todo o caminho que separa suas casas, você não ficará lá menos do que uma hora. Poderá, então, olhar nos olhos dela, experimentar o bolo que ela fez para você, criar vínculos profundos e duradouros.

O mesmo problema ocorreu com as cartas. Há trinta anos, as cartas eram um meio de comunicação muito usado entre as pessoas. Você pode reescrever uma carta quantas vezes quiser antes de enviá-la, e por isso a comunicação é mais precisa. Claro que hoje podemos escrever *e-mails*. Mas a lógica das cartas incorpora outro elemento: o tempo. A demora da resposta era um elemento que, na maioria das vezes, fazia com que pensássemos na pessoa o tempo todo. E o tempo requerido para que a resposta a uma carta chegasse até você ajudava a aclarar a sua mente e a responder de forma menos impulsiva. Esse tempo – intransponível pelos recursos tecnológicos disponíveis à época – requeria de nós paciência, e por isso acabávamos aprendendo a ser mais pacientes com todas as coisas – afinal, não havia alternativa: era esperar ou esperar. Depois se popularizou o telefone, veio a internet e com ela o *e-mail*, o telefone celular e, finalmente, as redes sociais digitais. Agora, mandamos três palavras abreviadas para uma pessoa e, se a mensagem não for respondida em dois minutos, nós surtamos.

É claro que existem muitas maneiras de se expressar a gratidão: um telefonema, um bolo que fazemos especialmente para alguém, um convite para estarmos juntos e até mesmo um simples sorriso. Há vezes em que nos esquecemos do poder que um sorriso tem. Pesquisas recentes demonstram que sorrisos alteram o funcionamento dos neurotransmissores em nosso cérebro. Em pessoas que sorriram espontaneamente e foram submetidas a exame de ressonância magnética, percebeu-se a ativação da mesma região do cérebro responsável pela felicidade. Outras pesquisas comprovam o efeito contagiante do sorriso: quando vemos alguém sorrindo, a atividade das regiões de nosso cérebro responsáveis pela avaliação social se intensifica: pessoas que sorriem parecem mais simpáticas às demais. Essas mesmas regiões do cérebro são responsáveis pela imitação social e, por isso, respondemos a um sorriso com outro.

Apesar da eficiência de um telefonema ou do poder empático que tem um sorriso, escrever cartas e cartões, que de resto pode ser uma boa terapia para alguns dos males da vida moderna, é certamente um bom exercício para nos tornarmos mais gratos.

Propomos que você escreva pelo menos um cartão (ou carta) de agradecimento por semana durante esses três meses de exercícios, ou seja, um total de cerca de doze cartões. Vimos no capítulo 3 ("Por que ser grato") que, mesmo que não enviemos esses cartões, o simples fato de escrevê-los nos tornará mais gratos. Mas nós propomos que você envie efetivamente esses cartões a seus destinatários. Dará trabalho, porque você terá que descobrir o endereço dessas pessoas (ou seja, você acabará as conhecendo melhor) e ir ao correio (finalmente você vai descobrir onde é a agência dos Correios mais próxima de sua casa!). Mas enviar a carta gerará vínculo, interdependência com a pessoa que a receber: é um grande prazer receber uma carta ou cartão pelo correio, em uma época em que só recebemos propagandas, contas e boletos bancários, e a pessoa ficará sensibilizada. Randy Pausch é da mesma opinião: "Demonstrar gratidão é uma das atitudes mais simples e poderosas que os seres humanos são capazes de expressar uns pelos outros, [e...] os bilhetes de agradecimento ficam melhores à moda antiga, com papel e carta".

Uma variação do exercício é fazer *post-its* (pequenos bilhetes) de gratidão em casa para seus familiares. Ser grato, já vimos, não é fácil, mas parece que é ainda mais difícil expressar a gratidão para aqueles que vivem conosco. Uma boa alternativa pode ser escrever mensagens de gratidão e colocá-las em lugares inusitados, como no espelho do armário de seu cônjuge ou dentro do armário do banheiro.

Uma ideia complementar é procurar por aqueles a quem nunca tivemos a oportunidade de expressar nossa gratidão e começar a enviar cartões e cartas de agradecimento a eles. Muitos ficarão surpresos ao descobrir que, passado muito tempo, você ainda é grato pelo que eles fizeram.

Para esse exercício, vale também a regra de que o agradecimento deve ser autêntico e sincero. Fazendo isso, você reprogramará seu cérebro para a gratidão, mas também reforçará os vínculos entre você e as pessoas a quem você é grato.

4. AGRADEÇA AOS INVISÍVEIS

É mais fácil reconhecer os favores de quem julgamos ser superior a nós. Contudo, deveríamos pontilhar nossa vida com mais gratidão também àqueles que nos são desconhecidos, anônimos, que muitas vezes cruzam nosso caminho apenas por alguns instantes. Por exemplo, os funcionários de uma empresa que contratamos, os atendentes de algum estabelecimento, os recepcionistas em uma sala de espera, a funcionária da companhia aérea no aeroporto. Devemos nos lembrar que todos eles são seres humanos como nós, todos igualmente dependentes uns dos outros. O fato de pagarmos por algum serviço não nos desobriga de nossos vínculos de solidariedade humana.

A gratidão vaga que implicitamente expressamos por nos encontrarmos em locais limpos e seguros deveria se converter em uma gratidão expressa aos trabalhadores responsáveis por isso. Esse exercício propõe que você expresse sua gratidão àqueles que são invisíveis e que tornam possível a você realizar as atividades requeridas onde você estuda, onde trabalha, no condomínio onde mora e na cidade em geral. Expresse sua gratidão a eles, mas de modo autêntico e sincero, que não reflita simplesmente o bom trabalho que eles fazem, mas também como você se sente pelo bom trabalho que eles fazem.

Passe a agradecer todas as vezes que perceber que alguém lhe fez algum favor – ainda que fosse dever da pessoa, porque esta é a beleza da gratidão: ela vai além de uma mera formalidade social, reafirmando nossa interdependência. Agradecer mais às pessoas com quem interagimos no percurso da vida amplia nosso discernimento social.

5. DIVIDA O DOM

A gratidão deve criar em nós generosidade, e não egoísmo. Como vimos no capítulo 2 ("O que é a gratidão"), se agradecer é dar, ser grato é dividir. Não é possível se apropriar da bênção, do dom, da graça de modo egoísta.

Uma lenda contada por Malba Tahan[4] ilustra bem isso, e se chama "*O fio da aranha*". Um ladrão chamado Kandata, homem muito corrupto e maldoso, morreu sem se arrepender e foi enviado para o inferno. Durante séculos sofreu suplícios e tormentos, mas um dia seu coração foi tocado pela luz do arrependimento. Kandata ajoelhou-se e pediu perdão a Deus de modo fervoroso. Um anjo apareceu e lhe disse: "O Senhor da Compaixão me enviou, Kandata, para tirá-lo do inferno. Algum dia de sua vida você realizou algum favor para alguma criatura, por mais insignificante que ela fosse?". Depois de muito pensar, Kandata respondeu que um dia viu uma aranha e pensou: "Não pisarei nela, porque é fraca e inofensiva". O anjo disse então que essa aranha viria para salvá-lo. Quando o anjo desapareceu, Kandata viu um fio de aranha descendo das alturas, e entendeu que era por ele que deveria subir para fugir do inferno. Ele começou a subir pelo fio, mas, no meio da subida, resolveu olhar para baixo, e viu que outros condenados também estavam subindo pelo fio atrás

---

4 Malba Tahan é o pseudônimo do escritor brasileiro Júlio César de Mello e Souza, morto em 1974.

dele. Temendo que o fio não resistisse a tanto peso, gritou para os outros condenados: "Larguem, malditos, que este fio é só para mim!". Nesse momento o fio se partiu e Kandata e os outros condenados caíram novamente no inferno. Como diz Malba Tahan, "O fio salvador, forte o bastante para levar ao Céu milhares de criaturas arrependidas de seus crimes, rompera-se ao sofrer o peso do egoísmo que a maldade insinuara em um coração".

Devemos repartir dons, favores e graças que recebemos, porque não são como dinheiro, para que alguém tenha mais dele, é preciso que outros tenham menos. Repartir dons é como a saúde de que, à medida que algumas pessoas se tornam mais saudáveis em uma comunidade, todos os demais se beneficiam e se tornam também mais saudáveis.

É fácil repartir os bens materiais, e na maioria das religiões isso é feito sob a forma de esmolas, doações e dízimos. Se eu ganho um prêmio, posso dar uma parte dele a outras pessoas. Se recebo um salário mensalmente, posso dar uma parte dele para uma instituição de qualquer natureza. Mas como fazer com bens imateriais? Saúde, por exemplo? Ou conhecimento? Felizmente, também é possível dividir esses bens. Claro que não podemos tomar uma parte de nossa saúde e dá-la a outra pessoa, mas podemos empregar parte do nosso tempo nos voluntariando para cuidar de enfermos. Podemos dedicar parte de nosso tempo livre para ajudar crianças de comunidades carentes a estudarem, com aulas de reforço.

Há algo impressionante na experiência do voluntariado, narrado por todos aqueles que a ela se dedicam. Apesar de os voluntários doarem algo (seu tempo, suas forças físicas e intelectuais, suas habilidades e mesmo seus bens materiais), são eles que se sentem gratos pelo que fazem, e não apenas quem recebe. Há diversos depoimentos sobre isso.

Uma voluntária declarou que "O trabalho voluntário, antes de mais nada, faz um bem à própria pessoa. Acho que viemos ao mundo para nos relacionarmos. Nos sentimos felizes em perceber o outro, em ter contato com o outro". Outra disse que "muito mais do que doamos. Ficamos muito felizes ao ver que tudo o que fazemos é convertido em ajuda às pessoas que estão aqui. Quem trabalha junto aos pacientes e tem oportunidade de dar carinho, de levar uma palavra, se sente gratificado por isso", e outra, ainda, afirmou que "aprendemos muito [com o voluntariado]. Principalmente com as crianças. Percebemos o quanto elas são fortes. Às vezes, estão com alguma doença grave. Mas estão lá, lutando, brincando, rindo. Vemos a capacidade que elas têm de transcender aquela situação. É muito gratificante".

O voluntariado é especialmente útil para dividir um tipo específico de dons: aqueles que recebemos ao nascer. Esse é o caso do dom para as artes, do dom para as línguas, do dom para a música (os artistas são as pessoas mais generosas que existem). Se não desenvolvermos os dons em talentos que possam ser empregados para o benefício de todos, estaremos sendo egoístas, estaremos sendo ingratos. Esses tipos de dons podem ser repartidos de muitas formas, como apresentando músicas e peças de teatro em hospitais, dançando com idosos em asilos ou apenas contando piadas para fazer uma criança rir, por exemplo.

Também podemos agradecer pelos bens imateriais (que vemos como espirituais) repartindo bens materiais (afinal, o que pode ser mais espiritual que o dinheiro? Um pedaço de papel que vale muito mais do que ele mesmo...). Os judeus, por exemplo, fazem isso com o mandamento de *Tsedacá*. A generosidade e a gratidão sempre foram parte integrante do judaísmo, desde o tempo dos patriarcas, e os rabinos ensinam que devemos sempre nos colocar no lugar dos carentes, porque somos como eles diante de Deus. Assim como recebemos suas bênçãos materiais e espirituais graciosamente, devemos suprir as necessidades dos outros também de maneira graciosa.

O livro de Deuteronômio, na Bíblia, ordena: "Se houver em teu meio um pobre, um dos teus irmãos, numa das tuas cidades, na terra que o SENHOR te dá, não endurecerás o teu coração e não fecharás a mão para o teu irmão pobre, mas tu lhe abrirás largamente tua mão e lhe concederás todos os empréstimos a penhor que vier a necessitar". A referência à *mão* no mandamento é importante, como lembram os rabinos, pois significa que somos todos diferentes (uns ricos, outros pobres), mas somos todos dedos de uma mesma mão (membros de uma mesma comunidade), todos importantes.

Lendo o mandamento no livro de Deuteronômio, muitos podem pensar que *tsedacá* significa *caridade,* mas na verdade significa *justiça* (lembra-se da história do advogado de Manaus?), e ela se realiza todas as vezes que alguém provê as necessidades materiais ou espirituais de alguém – mesmo de um rico –, seja com dinheiro (ou outros bens materiais), seja com palavras reconfortantes.

Na interpretação talmúdica e rabínica, esse mandamento só pode ser cumprido se for realizado voluntariamente e com alegria, pois quem assim o faz compreende que não está abrindo mão de nada que seja seu, uma vez que todos os bens, na verdade, pertencem a Deus, sendo os ricos apenas seus depositários. A generosidade e o amor são as respostas da gratidão, e é por isso que o mandamento de *tsedacá* é interpretado como um ato de justiça, como restituição àqueles a quem Deus os destinou, e não de caridade. Sendo assim, dentro da tradição do judaísmo, não é quem provê bens materiais para um pobre que dá algo, mas exatamente o contrário: é quem recebe, o pobre, quem dá algo muito mais importante para o homem justo, que é a oportunidade de cumprir o mandamento de *tsedacá*. E é porque tanto o rico dá algo (o bem material para o pobre) quanto o pobre dá algo (a oportunidade para o rico cumprir seu dever religioso) que um vínculo contratual se estabelece entre eles, um vínculo comunitário. Por isso, doe-se.

Finalmente, é preciso lembrar uma regra sobre dividir o dom. Ainda que a generosidade decorra da gratidão e que uma das formas de manifestar a gratidão seja dividindo, ser grato não é fazer algo, mas desenvolver certo sentimento por alguém que nos fez um favor, como vimos no capítulo 2 ("O que é a gratidão"). Por isso, a gratidão é avessa ao alarde. Essa aversão está presente. Se continuarmos com o exemplo da *tsedacá*, no seu mandamento os rabinos dizem que a melhor forma de cumpri-lo é com anonimato, tanto de quem dá, para que não se vanglorie, pensando que está dando algo de seu, quando está sendo apenas um veículo de Deus para que ele distribua suas bênçãos, quanto de quem recebe, para que não se envergonhe com a caridade de alguém. O alarde indica, na maioria das vezes, não uma virtude, mas um vício moral (a bajulação), e corrompe o sentido da própria gratidão. É próprio do bajulador e daquele que, estando falsamente agradecido, quer se passar por agradecido, manifestar de maneira excessiva sua falsa gratidão para instituir um direito em seu lugar, como se uma declaração pública de dívida fosse suficiente para saldá-la. Na verdade, o sentimento produzido na pessoa grata não gera o desejo de quitar a dívida. O que ele gera é amor.

6. CELEBRE SEU ANIVERSÁRIO

Existem várias cerimônias de gratidão em todo o mundo. O *Thanksgiving* (Ação de Graças), que celebra a fartura da colheita no Novo Mundo, é uma das festas mais importantes dos Estados Unidos da América e é celebrado na última quinta-feira de novembro, dando início aos chamados *Holidays* (festas de fim de ano). Os judeus têm o *Hagomel,* sobre o qual falamos no capítulo 3 ("Por que ser grato"), mas quase todos os festivais judaicos são cerimônias de gratidão, como o

Pessach (Páscoa, que celebra a libertação do povo de Israel do Egito), o *Shavuot* (Pentecostes, que celebra o fim da colheita e a entrega da Torá [Mandamentos] no monte Sinai) e *Hanukkah* (Festa das Luzes, que celebra a rededicação do Templo de Jerusalém após a vitória da revolta dos macabeus).

Há também cerimônias particulares de celebração da gratidão. Há um casal que, em seu aniversário de namoro (estão casados há quarenta anos, mas ainda agradecem a presença de um na vida do outro no aniversário de início de seu namoro), reúne filhos e netos para agradecer. Nesse dia, o brinde é feito não com champanhe, mas com um conhecido refrigerante sabor laranja, porque, quando começaram a namorar, há mais de quarenta anos, era comum que o rapaz fosse à casa da moça para pedir autorização a seus pais para namorá-la, e, no caso deles, o que foi servido naquela noite foi o dito refrigerante. O refrigerante esteve presente no momento inicial de seu relacionamento, e por isso ele tem um papel especial na memória e na celebração da gratidão pelo casal.

Há o caso de um homem que, curado de um câncer há muito tempo, visita anualmente os enfermeiros que cuidaram dele em sua quimioterapia no dia em que recebeu a notícia de que estava curado. Não os médicos, de quem todos se lembram, mas os enfermeiros, de quem infelizmente nos esquecemos quando somos curados. Criar uma cerimônia de gratidão é anular a força anestesiante que o cotidiano tem sobre nós e que nos inclina à automatização e ao esquecimento.

Para criar uma cerimônia particular de gratidão que o tempo não atenue, é preciso, em primeiro lugar, encontrar um motivo para celebrar: a aquisição de um carro novo provavelmente não é um motivo para isso, mas entrar em remissão no caso de um câncer é um forte candidato à gratidão ano após ano. Em segundo lugar, é preciso pensar em um rito específico para a cerimônia (elementos e ações que rememoram o fato, como tomar o refrigerante de laranja no caso do casal ou a visita anual aos enfermeiros no caso da remissão de um câncer); é preciso definir quem participa dela (se será só você, você e alguém mais, você e muitas pessoas). Finalmente, é preciso estabelecer uma data e um local para a cerimônia: será o aniversário do dia em que recebeu a notícia que se tinha câncer, e sua luta se iniciou, ou do dia em que recebeu a notícia de que estava curado, e sua luta se encerrou? Irá visitar os enfermeiros no hospital ou os convidará para irem à sua casa?

Mas se você acha difícil criar uma cerimônia e reconhecer um motivo especial para celebrar sua gratidão, há uma festa a que todos estamos tão acostumados que simplesmente nos esquecemos que é uma cerimônia de agradecimento: a celebração do aniversário.

É muito impressionante que haja pessoas que não gostem de celebrar o próprio aniversário. Há aqueles que simplesmente não querem lembrar que o seu tempo na Terra está se findando. Há aqueles que se incomodam porque muitos se esquecem de nossos aniversários. Mas há também aqueles que pensam que comemorar o aniversário é um desperdício de tempo. Pensamos que se trata de um equívoco.

Não temos o poder de garantir nossa própria sobrevivência. Neste exato momento um meteoro pode estar caindo sobre nós, e em um segundo não estaremos mais vivos. Felizmente isso não aconteceu. São tantos fatores que conspiram contra nós que é um verdadeiro milagre que estejamos vivos: um naco de carne mal mastigado e mal deglutido que pode nos asfixiar, a queda em um piso molhado no banheiro que pode levar a um traumatismo craniano, um elevador que se desprende, um avião que cai, um carro que nos atropela, uma bactéria mortal contida em uma fruta mal lavada. É claro que, estatisticamente, estamos livres desses perigos, mas mesmo assim há pessoas que morrem nessas circunstâncias.

Não é impressionante que a maioria de nós não sofra nenhum desses acidentes? O impressionante é que nós, autores, e você, leitor, não estejamos no grupo das exceções, porque alguém tem que estar nesses grupos de risco! É claro que caminhamos em direção à morte, mas estamos vivos hoje! Há um quadrinho do Snoopy em que ele e Charlie Brown estão assentados à beira de um lago. Charlie Brown diz: "Algum dia todos nós iremos morrer, Snoopy!", ao que Snoopy responde: "Verdade. Mas todos os outros dias, não".

Temos motivos de sobra para agradecer por estarmos vivos, temos motivos para nos sentir gratos em nossos aniversários, e não apenas pelos anos que vivemos: são os amigos e parentes que nos ligam e nos visitam, mas também aqueles que não se lembram de nós, não porque não nos amem, mas porque se esqueceram, em meio aos seus problemas, e que depois se sentirão culpados por terem se esquecido; é o fato de que a passagem do tempo provavelmente nos fez mais sábios e melhorou nossa condição econômica. É verdade que há também a decadência física e, não raramente, intelectual e financeira que acompanham nosso envelhecimento. Mas também é verdade que todos nós somos frágeis e carentes, não só os idosos.

Nós nos enganamos quando tentamos nos convencer de que nosso destino depende somente de nós quando somos jovens, quando tentamos nos convencer de que não dependemos (e de que nunca dependeremos) de ninguém e de que temos direito a determinado tipo de vida, como discutimos no capítulo 4 ("Por que é tão difícil ser grato"). Ao contrário, participamos de uma linhagem familiar e social na qual uma geração tem que cuidar do bem-estar das gerações que lhe antecederam e das gerações que lhe sucederem, como discutimos no capítulo 3 ("Por que ser grato"). Nascemos para cuidar uns dos outros. Mais uma vez é preciso invocar a sabedoria da Bíblia, que afirma ser uma bênção alguém conhecer não apenas seus filhos, mas também os filhos de seus filhos.

Este exercício, portanto, é o mais fácil de todos: simplesmente celebre seu aniversário, e, quando o fizer, lembre-se de dizer a todos que o parabenizarem que você se sente autêntica e sinceramente agradecido por celebrar mais um ano de vida.

7. ENSINE A GRATIDÃO A SEUS FILHOS

Marcos dá uma maçã a Joana, uma menina de sete anos. Como ela fica calada diante do presente, sua mãe olha para ela com cara de reprovação e diz: "O que é que a gente diz quando recebe uma maçã?". A menina estende a maçã para Marcos e diz: "Descasca!". Às vezes parece que nossos filhos são as pessoas mais ingratas do mundo. Na verdade, elas só tendem a nos imitar, agindo como nós agimos, vendo o mundo com os olhos que nós lhes damos.

O último exercício de gratidão não é o último por acaso. Para que seus filhos se tornem gratos, é preciso que você se torne grato antes deles, dando-lhes o exemplo. E isso vale não só para os filhos. Para que os subordinados se tornem gratos, é preciso que o chefe se torne grato antes deles; para que os alunos se tornem gratos, é preciso que o professor se torne grato antes deles. E, seguindo a teoria aristotélica das virtudes, sobre a qual falamos no início deste capítulo, é pela imitação de seu exemplo que eles aprenderão a ser gratos, não estudando sobre a gratidão, mas vendo você praticar a gratidão, pois, como diz Comte-Sponville, "Se a virtude pode ser ensinada [...] é mais pelo exemplo do que pelos livros".

Se você quer que seus filhos se tornem gratos, estimule-os a expressar sua gratidão. Estimule-os a agradecer com um cartão por um convite dos pais de um colega para passar o final de semana com eles, ou por um presente de aniversário. Mas de nada adiantará fazê-lo se você também não enviar cartões de agradecimento quando receber convites ou presentes, pois o que você pede deles lhes parecerá algo artificial e hipócrita. Peça-lhes também para ficarem um dia sem reclamar ou para escreverem um diário de gratidão. Mas se você não fizer isso antes de exigir que façam, tudo lhes parecerá insincero e sem sentido.

Outra possibilidade é inspirar-se no mandamento de *tsedacá*, de que falamos no exercício 5 ("Divida o dom"). Há muitas maneiras de cumpri-lo, mas uma em especial é muito interessante. Há, em muitas residências judaicas, um *pushke* (caixa de *tsedacá*), um pequeno cofre que fica estrategicamente colocado de modo que todos os membros da casa tenham acesso a ele. Isso estimula as crianças a se envolverem com o mandamento. Você e seus filhos podem colocar nela o troco da padaria ou da lanchonete da escola, e pode combinar com seus filhos que, ao final do mês, o dinheiro que estiver na caixa será doado para uma boa causa.

Mas a caixa de *tsedacá* pode ter outra função com seus filhos. Se eles forem muito novos para entenderem o que é a gratidão e por que ela é importante, será preciso dar um estímulo extra para eles se engajarem no exercício. Você poderá fazer isso usando o que chamamos de uma *caixa de tsedacá invertida*: coloque uma quantia em dinheiro, em cédulas ou moedas de pequeno valor, dentro da caixa. Combine com a criança que ela irá passar um dia inteiro sem reclamar. Cada vez que reclamar, ela perderá uma quantia do dinheiro que estiver na caixa. O dinheiro que sobrar ao final do dia será dela. Isso a ajudará a conscientizar-se acerca de quanto ela reclama a cada dia.

O objetivo não é que a criança não reclame, mas que ela desenvolva, pela imitação de seu exemplo, um sentimento. Por isso o importante é que você dê o exemplo. Se ela ficar um dia sem reclamar, você deve fazer o mesmo. E quando você for escrever seus cartões de agradecimento, estimule-a a fazer o mesmo junto com você e depois vá com ela aos Correios. Permita que ela aprenda com seu exemplo em tudo o que fizer de bom.

BÔNUS

COMO AGIR COM OS INGRATOS

AFASTAR-SE DOS INGRATOS

Immanuel Kant dizia que gratidão "consiste em honrar uma pessoa em virtude de um ato de benemerência que nos dispensou" e que ela é "um dever, quer dizer, não é meramente uma máxima da prudência", não algo que seja meramente aconselhado, mas um mandamento de cumprimento obrigatório. No entanto, como observou Jean-Jacques Rousseau (1712-1778), a gratidão "representa um dever que se deve cumprir, mas não um direito que se possa exigir". Não há como impedir que as pessoas sejam ingratas, conosco ou com os demais. Devemos, inclusive, contar com a ingratidão da maioria das pessoas, como sugerimos no capítulo 4 ("Por que é tão difícil ser grato").

Há uma história no Evangelho de Lucas que ilustra bem isso, o encontro de Jesus Cristo com um grupo de dez leprosos. Jesus os curou e pediu-lhes que procurassem o sacerdote em Jerusalém, para que ele atestasse a cura e os declarasse purificados, como exigia a lei de Moisés. Lucas conta que "um dentre eles, vendo que estava curado, voltou dando glórias a Deus em altas vozes. Lançou-se de rosto em terra aos pés de Jesus, rendendo-lhe graças; ora, era um samaritano. Então Jesus disse: 'Acaso os dez não foram todos purificados? E os outros nove, onde estão?' Não se achou ninguém entre eles para voltar e dar glória a Deus; a não ser este estrangeiro!".

A ingratidão é mais comum que a gratidão, e é prudente contar com ela. Se, com Jesus, apenas 10% dos leprosos foram gratos, imagine como será com você e conosco! Que a ingratidão é mais comum também é o que ensina a fábula *O viandante* [viajante] *e a víbora*, de Esopo. Um viajante encontrou uma víbora congelada durante o inverno. Sentindo pena do pobre animal, ele a colocou sob sua roupa para aquecê-la. Quando se descongelou, a víbora picou o viajante, que aprendeu tarde demais a contar com a ingratidão dos outros.

Sendo assim, é preciso saber reconhecer o ingrato, e a parábola do Filho Pródigo ajuda-nos a reconhecê-lo e a entender a dinâmica que conduz algumas pessoas da ingratidão à gratidão. Contou Jesus que um pai tinha dois filhos. "O mais moço disse ao seu pai: 'Pai, dá-me a parte dos bens que me cabe.' E o pai fez para eles a partilha dos seus bens." O filho mais moço partiu para longe do pai e gastou todos os seus bens, até se encontrar em uma condição de indigência. Não tendo sequer alimento, ele pensou: "Quantos operários de meu pai têm pão de sobra, enquanto eu aqui morro de fome! Vou ter com meu pai e lhe direi: Pai, pequei contra o céu e contra ti. Já não mereço ser chamado teu filho. Trata-me como a um dos teus diaristas". Quando ele vinha ao longe, o pai correu emocionado até o filho e o abraçou. O filho mais moço começou a dizer o texto que decorara: "Pai, pequei contra o céu e contra ti. Já não mereço ser chamado de teu filho...". Antes que o filho completasse a frase, pedindo que o tratasse como a um servo, o pai o interrompeu e pediu a seus servos que o vestissem com a melhor roupa possível e que preparassem um banquete para ele.

Quando o filho mais velho chegou, ficou amargurado, reclamando, e disse ao pai: "Já faz tantos anos que eu te sirvo sem ter jamais desobedecido às tuas ordens, e a mim nunca deste um cabrito sequer para festejar com meus amigos. Mas quando chegou esse teu filho [...] mataste o bezerro gordo para ele!". O pai então respondeu que o filho mais velho sempre estivera com ele, mas o mais novo era como um morto que voltara a viver, e era preciso comemorar esse fato.

Podemos fazer uma leitura dessa parábola a partir do tema da gratidão – sem prejuízo das outras leituras dessa pérola narrativa. Aqui há um primeiro indício de quem é o (filho) ingrato: o ingrato diz que ele tem direito ao que recebe, e isso ocorre tanto com o filho mais novo, que pede que o pai divida a herança antes mesmo de sua morte, quanto com o filho mais velho, que se amargura porque entende que teria direito a um cabrito e a muitas outras coisas, como fica subentendido.

Há outro indício da ingratidão de ambos os filhos: aparentemente, eles achavam que podiam sentir mais prazer longe do pai do que perto dele: o filho mais novo, que partiu para longe do pai em busca de prazer, e o filho mais velho, que desejou celebrar com seus amigos, e não com seu pai, mas nunca teve coragem de fazê-lo.

Mas há uma diferença entre ambos os irmãos. O filho mais novo descobriu, ao final, que não são simplesmente os bens materiais finitos do pai, mas o trabalho, a ação infinita realizada pelo dono da fazenda (o pai) que provia tudo para ele. O filho mais velho, no entanto, viu-se como se ele próprio fosse a causa da abundância dos bens do pai – ou, pelo menos, um fator essencial para seu sucesso. Por isso, há uma dinâmica diferente entre ambos: o filho mais novo tem sua soberba vencida, enquanto o filho mais velho não muda seu sentimento. O filho mais novo passou da ingratidão à gratidão, enquanto o filho mais velho continuou tão ingrato como sempre foi (só não teve oportunidade em que manifestasse sua ingratidão antes), não se vinculando nem ao pai, nem ao mais novo (a quem ele não chamou de irmão, mas de "esse teu filho"). O filho mais novo, ao contrário, em total dependência, se mostrou disposto a vincular-se novamente ao pai, mesmo na condição de servo, se fosse a única que lhe restasse.

Já que não podemos evitar que as pessoas sejam ingratas conosco, há muitos modos de se lidar com ingratos. Antes de mais nada, alguém que age com ingratidão é alguém que também age com estupidez, com certa inabilidade para o trato social, pois lhe teria sido muito mais útil se, mesmo não se sentindo grato, aparentasse sê-lo. Por que você quereria se aproximar de alguém que tem não uma, mas duas falhas graves, a ingratidão e a inabilidade social?

A primeira maneira de se lidar com pessoas ingratas é se afastando delas, porque são egoístas e ineptas, incompetentes para a vida, como já observou Goethe, para quem "a ingratidão é sempre uma forma de fraqueza. Nunca vi homens competentes serem ingratos". Ingratidão é coisa de quem não pensa. O monge Anselm Grün nos lembra que "quem pensa devidamente é também grato. A pessoa ingrata não pensa corretamente em sua vida". Não se trata de fazer um sermão para essas pessoas, o que geralmente é inútil (pois, se são soberbos, por que deveriam ouvi-lo?), mas simplesmente de se afastar delas aos poucos. A sabedoria bíblica no livro dos Provérbios recomenda: "Não te faças amigo de um homem iracundo, nem andes com o violento, para que não te habitues aos teus caprichos, nem armes uma trampa [armadilha] para ti mesmo". O mesmo vale com o ingrato.

Servir os ingratos

Se essa estratégia vale para alguns ingratos, não vale, no entanto, para todos. Por exemplo, como agir com um filho ingrato? Dificilmente um pai ou uma mãe abandonariam um filho ingrato, e sempre se conta com a possibilidade de que o filho ingrato aprenda com seu erro e acabe se tornando grato. Mas até lá, como devemos proceder?

Identificado um ingrato a quem amamos (como um filho), uma maneira de agir é aplicar na relação com essa pessoa um princípio básico do hinduísmo chamado *svadharma*. Começamos este livro contando a história do arqueiro Arjuna, que, ao se deparar com amigos, parentes e mestres nos dois lados da batalha, ficou imobilizado, pois não queria ser ingrato com nenhum deles. Krishna, então, disse-lhe que deveria aplicar *svadharma* à sua ação para que pudesse compreender de modo mais claro o que de fato estava envolvido. Arjuna deveria fazer o que Krishna lhe pedia, engajar-se com seu arco e flecha ao lado dos Pandavas, simplesmente porque esse era o desejo de Krishna, independentemente das consequências da ação para o próprio Arjuna.

Svadharma significa agir com desapego pelas consequências da ação, sem ter em vista a retribuição que dela pode advir, porque essa é a coisa certa a se fazer. É o apego às consequências da ação que produz a confusão em nossa mente e nos impede de agir corretamente. Krishna disse: "Cumpra o seu dever, ainda que seja humilde, e não o dever de um outro, ainda que seja grande. Morrer realizando o próprio dever é vida, viver realizando o dever de um outro é morte".

O princípio moral que Krishna estabelece é *faça a coisa certa, ainda que nenhuma consequência* (ou consequências ruins, como ser odiado por um filho que é disciplinado pelo pai) *decorra disso*. E fazer a coisa certa é fazer o que é necessário para alguém, não necessariamente o que essa pessoa deseja, como ensina James Hunter no clássico da literatura corporativa *O monge e o executivo*. Como líderes, os pais devem servir as necessidades de seus filhos, mesmo quando não correspondam a seus desejos, e mesmo quando não se mostrem agradecidos pelo seu comportamento. Essa ideia estrutura ainda o budismo clássico. No *Dhammapada*, Buda reivindica para seus discípulos que eles expressem amor entre os homens que os odeiam e que, em suas ações, eles devem "abandonar a raiva e abrir mão do orgulho. O sofrimento não pode ferir o homem que não está preso a nada, que nada possui". Quem não tem nada, nem soberba, nem orgulho, nem raiva, nada pode perder.

Há uma história de Malba Tahan, chamada *Ingratidão exigida*, que ilustra isso. Um viajante presenciou um velho xeique atirar um punhado de moedas de ouro aos pés de um mendigo. O mendigo gritou: "Alá te castigue, velho nojento! Longe de mim, podridão! Possa o fogo do Maligno livrar-nos de tuas mãos pestilentas". Ao ouvir isso, o viajante estava prestes a espancar o mendigo em represália ao que ele dissera a seu benfeitor, quando o mendigo lhe pediu que não batesse nele, pois era o xeique que exigia dele esse comportamento. Não acreditando, o viajante perguntou ao xeique se isso era verdade, e este respondeu:

> Não lhe mentiu o mendigo. Fui eu mesmo que lhe impus, não só a ele, senão a todos a quem valho, aquele modo de proceder. E a minha exigência não passa de um egoísmo gerado pela minha filantropia. [...] Não têm conta os lábios sedentos a que cheguei um púcaro [vasilha] d'água [...] De todos, porém [...] estancada a sede [...] só recebia as mais cruas provas de ingratidão. Passada a hora da necessidade, passava a lembrança do benefício. A princípio, meu filho, [...] doíam-me as injustiças daquele que eu beneficiava, vinham-me ímpetos de transformar os meus sentimentos de

> piedade nesse indiferentismo com que a maioria dos homens aprecia as misérias de seus semelhantes. Repudiando, porém, essa fraqueza [...] que me assaltava quando me feria uma ingratidão profunda, deliberei habituar-me a receber tais pagas. [...] Comecei a exigir, de todos quantos receberam qualquer auxílio meu, que me deem desde logo o que iriam dar mais tarde: uma ingratidão como paga.

Nem havia mais surpresa e sofrimento para o xeique, nem ele deixava de fazer o que era o certo: isso é *svadharma*. Krishna ensinou a Arjuna que "um dom é puro quando é dado de coração para a pessoa certa, na hora certa e no lugar certo, *e quando não se espera nada em troca*. Mas quando é dado esperando-se algo em troca ou tendo-se em vista uma recompensa futura, ou quando é dado sem se desejar dar, ele se origina da paixão e é impuro. E um dom dado à pessoa errada, na hora errada e no local errado, ou que não venha do coração, e é dado com desprezo orgulhoso, é um dom da escuridão". Para quem não espera ser recompensado, o destino é-lhe sempre favorável. Faça o certo, sem esperar recompensa por isso.

Se somos odiados por aqueles a quem amamos, devemos amá-los, e não os odiar; servi-los em suas necessidades, e não os abandonar à própria sorte, pois se perto deles é difícil corrigi-los, que dirá longe! O nome disso é amor. O nome disso é graça. O nome disso é gratidão.

RE FE RÊN CIAS

GERAL

Há muitas fontes não ortodoxas, fora dos ensaios de filosofia e dos grandes livros religiosos da humanidade, largamente citados e referenciados nos diversos capítulos deste livro, com as quais podemos aprender mais sobre a gratidão (e a ingratidão). Uma boa alternativa são filmes como *A cor púrpura* (*The Color Purple*), de Steven Spielberg (1985); *A felicidade não se compra* (*It's a Wonderful Life*), de Frank Capra (1946); *A lista de Schindler* (*Schindler's List*), de Steven Spielberg (1993); *A vida é bela* (*La vita è bella*), de Roberto Benigni (1997); *Ao mestre com carinho* (*To Sir, with Love*), de James Clavell (1967); *Cinema Paradiso*, de Giuseppe Tornatore (1988); *A chegada* (*Arrival*), de Denis Villeneuve (2016); *Com mérito* (*With Honors*), de Alek Keshishian (1994); *Era uma vez em Tóquio* (*Tokyo Monogatari*), de Yasujiro Ozu (1953); *O clube do imperador* (*The Emperor's Club*), de Michael Hoffman (2002); *Tomates verdes fritos* (*Fried Green Tomatos*), de John Avnet (1991); e *Uma história de Natal* (*A Christmas Carol*), de Robert Zemeckis (2010).

Da mesma forma, a literatura tem muito a dizer sobre a gratidão, em livros como *A divina comédia* (*Divina Commedia*), de Dante Alighieri (1304); *A lição final*, de Randy Pausch (2008); *Grande sertão: Veredas*, de João Guimarães Rosa (1956); *Gratidão*, de Oliver Sacks (2015); o conto *"Bola de Sebo"* (*"Boule de Suif"*), de Guy de Maupassant (1886); *Sobre ratos e homens* (*On Mice and Men*), de John Steinbeck (1939); *O Paraíso perdido* (*Paradise Lost*), de John Milton (1674); *O morro dos ventos uivantes* (*Wuthering Heights*), de Emily Brontë (1847); *Ethan Frome*, de Edith Wharton (1911, infelizmente sem tradução em português); além de várias peças de William Shakespeare, sendo a mais notável delas seu *Júlio César*, de 1599.

OS MALES DA INGRATIDÃO

O *Bhagavad Gita* foi consultado na versão em inglês de Juan Mascaró[5], e aqui citamos o discurso introdutório de Arjuna, pedindo iluminação a Krishna sobre o que fazer diante da batalha iminente[6]. A citação de David Hume vem de seu *Tratado da natureza humana*[7]. O mito de Édipo tem muitas fontes, sendo as principais a peça de Sófocles de mesmo nome[8] e a Biblioteca de Apolodoro[9]. A Suma Teológica de São Tomás de Aquino foi consultada na versão da editora Loyola. O tratado sobre a Gratidão encontra-se no volume VI

5 *Bhagavad Gita*; trad. inglês Juan Mascaró. Londres: Penguin, 2003.

6 *Ibidem*, verso I, 34, p. 6 e verso II, 5, p. 9.

7 Hume, David. *Tratado da natureza humana*. São Paulo: Unesp, 2001. p. 506. Livro III, Parte I, Seção 1, § 24.

8 Sófocles. ***A trilogia tebana:*** Édipo Rei, Édipo em Colono e Antígona; 9ª. ed. trad. Mario da Gama Cury. Rio de Janeiro: Jorge Zahar, 2001.

9 Apollodorus. ***The Library of Greek** Mythology*: A new translation by Robin Hand. Oxford: Oxford, 2008.

da coleção[10], mais especificamente nas questões 106 e 107 da II seção da II parte[11].

10 Aquino, Tomás de. *Suma Teológica*. São Paulo: Loyola, 2005.

11 *Ibidem*, na versão consultada, p. 572-590.

O QUE É A GRATIDÃO

Sobre o agradecimento de Tom Hanks, consulte a matéria "Globo de Ouro oscilou entre o óbvio e o quase absurdo nos prêmios de cinema"[12]. Sobre o agradecimento de Malala, consulte seu discurso de agradecimento, *Malala Yousafzai – Nobel Lecture*[13]. Sobre o agradecimento do treinador Jorge Jesus, consulte o artigo "Flamengo: Jorge Jesus agradece torcida rubro-negra"[14]. Sobre o agradecimento de Andrew Sandness pelo seu novo rosto, consulte a matéria "Homem passa por transplante de rosto após anos de

12 Folha de S.Paulo, 6 de janeiro de 2020. Disponível em <https://www1.folha.uol.com.br/ilustrada/2020/01/globo-de-ouro-oscilou-entre-o-obvio-e-o-quase-absurdo-nos-premios-de-cinema.shtml>. Acesso em: 7 jan. 2020.

13 *Malala Yousafzai – Nobel Lecture*, 10 de dezembro de 2014. Disponível em <https://www.nobelprize.org/prizes/peace/2014/yousafzai/26074-malala-yousafzai-nobel-lecture-2014/>. Acesso em: 7 jan. 2020.

14 "Flamengo: Jorge Jesus agradece torcida rubro-negra". De 24 de dezembro de 2019. Disponível em <https://www.jcnet.com.br/noticias/esportes/2019/12/708503-flamengo--jorge-jesus-agradece-torcida-rubro-negra.html>. Acesso em: 7 jan. 2020.

isolamento e depressão"[15]. Aristóteles trata do Discurso Demonstrativo na *Retórica*[16]. As palavras utilizadas em várias línguas para expressar agradecimento foram retiradas de *As línguas do mundo,* de Charles Berlitz[17].

O vídeo de António Nóvoa sobre a especificidade da palavra *obrigado* na língua portuguesa pode ser encontrado facilmente no YouTube[18]. Os graus da gratidão são apresentados por São Tomás de Aquino na questão 107, artigo 2 da II-II da *Suma Teológica*[19]. É dele também a ideia de que três ações caracterizam a ingratidão[20]. Para o conceito de *charis* e de *hen,* consultamos respectivamente o *Theological Dictionary of*

---

15 "Homem passa por transplante de rosto após anos de isolamento e depressão", de 17 de fevereiro de 2017. Disponível em <https://www.diariodepernambuco.com.br/noticia/mundo/2017/02/homem-passa-por-transplante-de-rosto-apos-anos-de-isolamento-e-depress.html>. Acesso em: 7 jan. 2020.

16 Aristoteles. ***Rhétoric***. Paris: Livre de Poche, 1991. p. 93s., 1358a.

17 Berlitz, Charles. ***As línguas do mundo.*** Rio de Janeiro: Nova Fronteira, 1988. p. 223s.

18 Disponível em <https://www.YouTube.com/watch?v=mF2RUpozO3Q>. Acesso em: 30 dez. 2019.

19 Aquino, ***op. cit.***, p. 586.

20 *Idem*, p. 587, q. 107, a. 3.

the New Testament[21] e o *Theological Lexicon of the Old Testament*[22].

A citação de Miguel de Cervantes Saavedra está em seu *O Engenhoso Cavaleiro D. Quixote de la Mancha*[23]. A ideia de que o domínio do princípio do prazer pelo princípio da realidade ocorre na passagem para a vida adulta é apresentada por Freud em *Formulação sobre os dois princípios do funcionamento psíquico*[24]. Bernard Mandeville nos comparou às abelhas[25], e o *Agente Smith*, personagem do filme *Matrix* (1999), nos comparou aos vírus. As *Cartas a Lucílio*, de Sêneca, foram citadas pela excelente tradução portuguesa de J. A. Segurado e Campos.[26]

---

21 Kittel, Gerhard; Friedrich, Gerhard (orgs.). ***Theological Dictionary of the New Testament***, vol. IX. Grand Rapids: WM. B. Eerdmans, 2006, p. 372.

22 Jenni, Ernst; Westermann Claus. *Theological Lexicon of the Old Testament*, vol. I. Peabody: Hendrickson, 2012, p. 439.

23 Cervantes, Miguel de. *O Engenhoso Cavaleiro D. Quixote de la Mancha*, Livro II, trad. Sérgio Molina. São Paulo: Ed. 34, 2007, p. 602 – Capítulo LI.

24 Freud, Sigmund. ***Obras completas***, trad. Paulo César de Souza. São Paulo: Companhia das Letras, 2010. V. 10. p. 108-121.

25 Mandeville, Bernard. ***A fábula das abelhas***. São Paulo: Unesp, 2018.

26 Sêneca, Lúcio Aneu. ***Cartas a Lucílio***, trad. portuguesa J. A. Segurado e Campos, Carta CVIII, 11 e 12. Lisboa: Fundação Calouste Gulbenkian, 1991, p. 590.

Confúcio é um autor epigramático difícil de ser interpretado sem o auxílio de um comentário. A ideia acerca da variabilidade do destino mas da imperturbabilidade do caráter está em várias passagens do *Analectos*[27]. Para uma apreciação mais direta da ética de Confúcio, veja o livro de Leslie Stevenson e David I. Haberman, *Dez teorias da natureza humana*[28]. C. S. Lewis referiu-se não propriamente à soberba, mas ao orgulho[29]. No entanto, a palavra latina *soberbia* sempre foi utilizada pelo cristianismo para se referir a esse vício moral (a palavra *orgulho*, que não deriva diretamente do latim, é de uso muito mais recente). A relação entre o egoísmo e a ingratidão já foi notada por André Comte-Sponville[30], que também estabeleceu a diferença entre agradecer e ser grato. É dele também a observação de que a mera retribuição é de-

---

27 *Analectos.* São Paulo: Unesp, 2012, p. 22, p. 118 e 119 e p. 123, ou seja, I.15, IV.10, IV,11 e IV.14, por exemplo, mas sempre de modo indireto.

28 Stevenson, Leslie; Haberman, David I. *Dez teorias da natureza humana.* São Paulo: Martins Fontes, 2005, em especial p. 40.

29 Lewis, C.S. *Cristianismo puro e simples.* São Paulo: Martins Fontes, 2017, p. 167.

30 Comte-Sponville, André. *Pequeno tratado das grandes virtudes.* São Paulo: Martins Fontes, 1995, p. 146.

sejo por mais, ganância, egoísmo (p. 152). O conceito de agradecimento de Baruch Spinoza está na sua *Ética*[31]. Victoria Camps é quem concebe a gratidão como sentimento dos que recebem algo por graça, e não por direito[32]. É ela, também, quem estabelece a relação entre gratidão e solidariedade.

31 Spinoza, Baruch. *Ética*, trad. Tomaz Tadeu, 2ª. ed. Belo Horizonte: Autêntica, 2016. p. 148, de onde usamos a definição 34 dos Afetos, contida na parte III da obra. Já a definição 6 apresenta o que é o amor, p. 142.

32 Camps, Victoria. *O que devemos ensinar aos nossos filhos.* São Paulo: Martins Fontes, 2003, p. 69.

POR QUE SER GRATO

A fábula de Esopo *A formiga e a pomba* foi retirada de *Esopo:* Fábulas completas[33]. Para as considerações estéticas sobre o conceito de gratidão, nossa fonte original foi o verbete *Graça* no *Dicionário de Filosofia* de J. Ferrater Mora[34]. Uma divulgação da pesquisa do professor Glenn Fox sobre a relação entre gratidão e reprogramação do cérebro pode ser encontrada em *What Can the Brain Reveal about Gratitude?*[35]. Para compreendermos melhor sua pesquisa, recorremos ao artigo de Judith Butman e Ricardo F. Allegri intitulado "A cognição social e o córtex cerebral"[36]. A citação da poeta Bruna Beber é do

33 *Esopo:* Fábulas completas. Trad. Eduardo Berliner. São Paulo: Cosac Naify, 2013, p. 199.

34 Mora, J. Ferrater. ***Dicionário de Filosofia***. São Paulo: Loyola, 2001. Tomo II (E-J), p. 1228s.

35 ***What Can the Brain Reveal about Gratitude?*** Greater Good Magazine: Science-Based Insights for a meaningful Life. 04/08/2017. Disponível em <https://greatergood.berkeley.edu/article/item/what_can_the_brain_reveal_about_gratitude>. Acessado em 2 de janeiro de 2020.

36 Butman, Judith; F. Allegri, Ricardo. "A cognição social e o córtex cerebral", in ***Psicologia: Reflexão e crítica***, vol. 14, n. 2. Porto Alegre, 2001. Disponível em <http://www.scielo.br/scielo.php?script=sci_arttext&pi-

poema "De castigo na merenda"[37]. A pesquisa de Joel Wong e Joshua Brown é reportada por eles no artigo de divulgação intitulado "How Gratitude Changes You and Your Brain"[38]. A citação de La Rochefoucauld está na obra *The Funniest Thing You Never Said*[39]. A afirmação de que o contentamento é o maior dos tesouros foi feita pelo próprio Buda, no *Dhammapada*[40]. Utilizamos também a fórmula da bênção do *Bircat Hagomel*[41], e o texto dos Dez mandamentos foi consultado na versão de Deuteronômio 5:16[42]. Citamos a letra de "Velhos e

---

d=S0102-79722001000200003>. Acessado em 10 de janeiro de 2020.

37 Beber, Bruna. "De castigo na merenda", in ***Rua da Padaria***. Rio de Janeiro: Record, 2013.

38 Wong, Joel; Brown, Joshua. "How Gratitude Changes You and Your Brain", in ***Greater Good Magazine: Science-Based Insights for a Meaningful Life***. 06/06/2017. Disponível em <**https://greatergood.berkeley.edu/article/item/how_gratitude_changes_you_and_your_brain**>. Acessado em 2 de janeiro de 2020. Mais dados sobre o efeito da gratidão sobre o cérebro podem ser encontrados em <**https://revistagalileu.globo.com/Ciencia/noticia/2016/01/expressar-gratidao-pode-mudar-seu-cerebro.html**> em 30 de dezembro de 2019.

39 Jarski, Rosemarie. ***The Funniest Thing You Never Said***, compilação de frases bem-humoradas. Londres: Ebury Press, 2004.

40 Sidarta Gautama, *Dhammapada*, trad. Juan Mascaró, verso 204, livro 15 (Felicidade). Londres: Penguin, 1973, p. 64.

41 Bircat Hagomel. Disponível em <**https://pt.chabad.org/library/article_cdo/aid/1580883/jewish/Bircat-Hagomel.htm**>. Acesso em: 30 dez. 2019.

42 ***Tradução Ecumênica da Bíblia.*** São Paulo: Loyola, 1994, p. 277.

jovens", de Arnaldo Antunes[43]. A citação de Paulo sobre a fortaleza de quem se reconhece fraco está na Segunda Epístola aos Coríntios[44].

43 Pode ser consultada em <https://www.letras.mus.br/arnaldo-antunes/91780/>. Acesso em: 30 dez. 2019.

44 *Tradução Ecumênica da Bíblia, op. cit.*, p. 2246, cap. 12, v. 10.

POR QUE É TÃO DIFÍCIL SER GRATO

O provérbio oriental citado está registrado na obra *Provérbios do Mundo Todo*[45]. A história do filho acometido de leucemia é contada por Rubem Alves em *Estórias de quem gosta de ensinar*[46]. A teoria de Santo Agostinho sobre o tempo, que discute a irrealidade do passado e do presente como dados objetivos do mundo, ocupa todo o livro XI de suas *Confissões*[47]. A citação de Mark Williams e Danny Penman foi retirada de seu livro *Atenção plena – Mindfulness*[48]. O verso da poeta Ana Martins Marques é do "*Poema de trás para*

45 *Provérbios do mundo todo.* Rio de Janeiro: Gryphus, 2001.

46 Alves, Rubem. *Estórias de quem gosta de ensinar*, 11ª. ed. São Paulo: Cortez, 1991.

47 Agostinho. *Confissões*, trad. Lorenzo Mammì. São Paulo: Penguin/Companhia, 2017, p. 302s.

48 *Atenção Plena – Mindfulness:* Como encontrar paz em um mundo frenético. Rio de Janeiro: Sextante, 2015. p. 69.

frente"[49]. A palestra de Randy Pausch, além de sua versão online de 2007 no *site Ted Talks*[50], pode ser encontrada em seu livro *A lição final*[51].

A parábola do magnífico morango, contada por Daisetsu Teitaro Suzuki, pode ser encontrada no texto de Keith Rosen *Gratitude and the Parable of the Magnificent Strawbery*[52]. O *Cântico das Criaturas* de São Francisco de Assis pode ser encontrado no *site*[53]. Para a crítica de Victoria Camps ao excesso de direitos que nos atribuímos, consulte-se mais uma vez seu livro *O que devemos ensinar a nossos filhos*[54]. Para a história de Jó, consulte-se a *Tradução Ecumênica da Bíblia*[55].

---

49 *In* ***O Livro das Semelhanças.*** São Paulo: Companhia das Letras, 2015.

50 A versão online de 2007 está disponível em <https://www.ted.com/talks/randy_pausch_really_achieving_your_childhood_dreams>. Acesso em: 7 jan. 2020.

51 Pausch, Randy. *A lição final*. Rio de Janeiro: Agir, 2008.

52 Rosen, Keith. *Gratitude and the Parable of the Magnificent Strawbery.* Disponível em <http://keithrosen.com/2009/11/the-experience-of-gratitude-and-the-richest-person-in-the-world-a-zen-parable-of-the-magnificent-strawberry/>. Acesso em: 2 jan. 2020.

53 franciscanos.org.br. Disponível em <https://franciscanos.org.br/carisma/simbolos/o-cantico-das-criaturas>. Acesso em: 17 jan. 2020.

54 Camps, *op. cit.*, p. 69.

55 *Tradução Ecumênica da Bíblia, op. cit.*, 1173, cap. 1, v. 21 e cap. 2, v. 10.

O verso de Mário Quintana é da obra *A cor do invisível*[56]. A Primeira Carta de Paulo aos Tessalonicenses também foi consultada na *Tradução Ecumênica da Bíblia*[57], como também o versículo sobre a dedicação do memorial ao auxílio divino (Ebenézer)[58]. A história da invenção da barra de progresso é recontada no artigo de Daniel Engberg, "*Who Made That Progress Bar*"[59]? A citação da poeta Mel Duarte é do poema "Brisas Avulsas"[60]. Para a história e a letra (em inglês) do hino de Johnson Oatman Jr. *Count Your Blessings*, consulte o site Hymnary.org[61].

56 Quintana, Mário. ***A cor do invisível***. Rio de Janeiro: Alfaguara, 2012.

57 ***Bíblia***, ***op. cit.***, p. 2311, cap. 5, v. 16 e 18.

58 ***Ibidem***, 1Samuel 7.12, p. 413.

59 Engberg, D. *Who Made That Progress Bar? In The New York Times Magazine*, 07 de março de 2014, disponível em <https://www.nytimes.com/2014/03/09/magazine/who-made-that-progress-bar.html>. Acesso em: 7 jan. 2020.

60 In ***Negra Nua Crua***. São Paulo: Editora Ijumaa, 2016.

61 Hymnary.org, disponível em <https://hymnary.org/text/when_upon_lifes_billows_you_are_tempest>. Acesso em: 2 jan. 2020.

COMO SER GRATO: SETE EXERCÍCIOS DE GRATIDÃO

A história da doação da viúva no templo é contada no Evangelho de Lucas[62]. A definição aristotélica da virtude encontra-se no livro II da *Ética a Nicômaco*[63]. A definição etimológico-jurídica de reclamar está no *Dicionário Etimológico Nova Fronteira da Língua Portuguesa*[64]. Antenor Nascentes é quem afirma haver conexão entre a palavra sincero e *mel sem cera*[65].

A explicação do casal *amish* sobre por que não têm telefone foi ouvida por Marcelo Galuppo em

62 Lucas 21, in ***Bíblia*, *op. cit.***, p. 2024.

63 *Ética a Nicômaco*. Foi consultada a tradução francesa de J. Tricot: ***Éthique a Nicomaque***. Paris: J. Vrin, 1994. p. 100s.

64 Cunha, Antônio Geraldo da. ***Dicionário Etimológico Nova Fronteira da Língua Portuguesa***, 2ª. ed. Rio de Janeiro: Nova fronteira, 1997. p. 668.

65 Nascentes, Antenor. ***Dicionário Etimológico Resumido.*** Rio de Janeiro: Instituto Nacional do Livro, 1966. p. 690.

uma viagem a Lancaster, *headquarters* dos *amish* nos Estados Unidos, em 2015. Os *amish* são uma comunidade protestante radical que não usa luz elétrica ou telefones em suas casas, nem zíperes em suas roupas. Eles usam pequenas charretes como único meio de transporte e usam roupas, cortes de cabelo e estilos de barba idênticos. Seu estilo de vida é marcado pela simplicidade.

É claro que isso não define o que são os *amish*, um grupo anabatista igualitarista e pacifista com fortes vínculos comunitários (geralmente não mantêm contato sequer com outros *amish* que não vivam na mesma área geográfica) originado na Suíça do século 17 e que foi expulso da Europa pelos católicos e por grupos protestantes no século 18, refugiando-se na Pensilvânia e em Ohio. Para conhecer mais acerca deles, consulte o verbete *Mennonite* (grupo do qual os *amish* derivam) no *Handbook of Denominations in the United States*[66]. A citação de

66 Mead, Frank S.; Hill, Samuel S. *Handbook of Denominations in the United States*, 10ª. ed. Nashville: Abindgon Press, 1995. p. 186s.

Randy Pausch é de seu livro *A lição final*[67]. A história de Kandata está no conto de Malba Tahan intitulado "O fio da aranha" (uma lenda hindu)[68]. As declarações de pessoas manifestando gratidão por atuar como voluntárias foram retiradas da matéria "Voluntariado existe de forma organizada na Santa Casa de BH há 46 anos"[69]. O mandamento de *tsedacá* está prescrito no livro de Deuteronômio[70]. Sobre *tsedacá*, leia-se o artigo "*tsedacá*, um conceito judaico"[71], assim como o verbete Caridade no *Dicionário judaico de lendas e tradições*[72]. O desenho de Snoopy foi retirado da internet[73].

---

67 Pausch, *op. cit.*, p. 179.

68 Tahan, Malba. "O fio da aranha", in *Lendas do deserto*, 13ª ed. Rio de Janeiro: Conquista, 1963, p. 9 a 13.

69 Publicada em de 28/08/2017 e disponível em <http://www.santacasabh.org.br/ver/voluntariado_existe_de_forma_organizada_na_santa_casa_bh_há_46_anos.html>. Acesso em: 3 jan. 2020.

70 *Bíblia, op. cit.*, p. 290, Deuteronômio 15.7-8.

71 "*Tsedacá,* um conceito judaico", no *site* Ser Judeu, disponível em <http://www.chabad.org.br/biblioteca/artigos/tsedaca/home.html>. Acesso em: 3 jan. 2020.

72 Unterman, Allan. *Dicionário judaico de lendas e tradições*. Rio de Janeiro: Jorge Zahar, 1992, p. 57.

73 Disponível em <http://erimadeandrade.blogspot.com/2016/01/frases-que-me-fizeram-pensar.html>. Acessado em 12 de janeiro de 2020.

Há muitos versículos na Bíblia que indicam que uma vida longa é sinal de bênçãos, como em Provérbios 17.6[74]. Há textos que reportam pesquisas sobre o poder do sorriso de alterar nosso cérebro, como o livro de Mark Williams e Danny Penman e o artigo de Ronald E. Riggio[75]. A citação de André Comte-Sponville sobre como se adquirem as virtudes é de seu *Pequeno tratado das grandes virtudes*[76].

74 *Tradução Ecumênica da Bíblia*, *op. cit.*, p. 1258.

75 Williams, Mark; Penman, Danny. Atenção plena – Mindfulness, *op. cit.* p. 27. Veja também o artigo Ronald E. Riggio, "There`s Magic in Your Smile", in Psychology Today, de 25/06/2012. Disponível em <https://www.psychologytoday.com/us/blog/cutting-edge-leadership/201206/there-s-magic-in-your-smile>. Acesso em: 4 jan. 2020.

76 Comte-Sponville, *op. cit.*, p. 7.

COMO AGIR COM OS INGRATOS

A definição de gratidão de Immanuel Kant está na "Doutrina da Virtude"[77]. A ideia de Jean-Jacques Rousseau de que a gratidão representa um dever a que não corresponde um direito está no *Discurso sobre a origem e os fundamentos da desigualdade entre os homens*[78]. A parábola do filho pródigo está no Evangelho de Lucas[79]. A relação entre a ingratidão de alguém e sua inabilidade encontra-se em Johann Wolfgang von Goethe[80].

---

77 Kant, Immanuel. ***Metafísica dos Costumes***, trad. José Lamego. "Doutrina da Virtude", §§ 31, B e 32, segunda parte. Lisboa: Fundação Calouste Gulbenkian, 2005, p. 400-401.

78 Rousseau, Jean-Jacques. ***Discurso sobre a origem e os fundamentos da desigualdade entre os homens*** (trad. Lourdes Sãos Machado, ***Os pensadores,*** vol. XXIV, parte II. São Paulo: Abril Cultural, 1973, p. 279, onde a palavra usada é reconhecimento, e não propriamente gratidão, e considera que a gratidão representa um dever a que não corresponde um direito.)

79 ***Tradução ecumênica da Bíblia, op. cit.***, p. 2011. Lucas 15. 11-32.

80 Goethe, Johann Wolfgang von. ***Maxims and Reflections***. Londres: Penguin, 1998. p. 21, aforisma 185.

A citação de Anselm Grün está no livro *A felicidade das pequenas coisas*[81]. O provérbio bíblico que recomenda o afastamento dos mal-humorados está em Provérbios 22.24-25[82]. A história sobre a cura dos dez leprosos por Jesus Cristo está no Evangelho de Lucas 17.14-18[83]. A fábula "O viandante e a víbora", de Esopo[84] , está no livro *Fábulas completas.* O discurso de Krishna está no *Bhagavad Gita*[85]. A ideia de líder servidor está no livro de James C. Hunter *O monge e o executivo*[86]. A citação de Buda está em *The Dhammapada*[87]. A lenda de Malba Tahan sobre a *ingratidão exigida* está no livro *Maktub!*[88]. A passagem sobre a necessidade de desapego naquilo que damos

81 Grün, Anselm. *A felicidade das pequenas coisas*. Petrópolis: Vozes, 2019, p. 19.

82 *Tradução ecumênica da Bíblia, op. cit.*, p. 1268.

83 *Ibidem, op. cit.*, p. 2015.

84 Esopo, *Fábulas completas, op. cit.*, p. 519.

85 *Bhagavad Gita, op. cit.*, p. 20, verso III, 35.

86 Hunter, James C. *O monge e o executivo*, 15ª. ed. Rio de Janeiro: Sextante, 2004.

87 *Dhammapada,* trad. Juan Mascaró. Londres: Penguin, 1973. p. 64 e 68, v. XV, 197 e XVII, 221.

88 Tahan. *Maktub!* 11. ed. Rio de Janeiro: Conquista, 1964. p. 205s.

aos outros também está no *Bhagavad Gita*[89]. Se você for religioso, saiba que tanto o cristianismo (na Epístola de Paulo aos Colossenses 3.17[90]) quanto o hinduísmo (*Bhagavad Gita*[91]) ensinam que devemos fazer tudo como uma oferenda a Deus, e por isso devemos fazê-lo da melhor maneira possível, independentemente de qualquer retribuição que recebamos.

89 Gita, *op. cit.*, p. 78, XVII, 20-22.

90 *Tradução Ecumênica da Bíblia*, *op. cit.*, p. 2297.

91 Gita, *op. cit.*, p. 45, IX, 23-24.

A GRA DECI MEN TOS

Temos muito o que agradecer, e sobretudo muitos a quem agradecer.

Vários amigos e parentes manifestaram apoio quando souberam que estávamos escrevendo este livro, e são tantos que não correremos o risco de omitir algum nome citando outros, mas gostaríamos de agradecer de modo especial a André Fonseca, da editora Citadel, que se empolgou e se engajou no projeto deste livro, e a Dom Walmor Oliveira de Azevedo, pelo generoso prefácio.

Tratamos todas as histórias reais de gratidão que foram recontadas no livro com alguma liberdade e alteramos os nomes de seus personagens para preservar-lhes as identidades. Nem todas as histórias puderam fazer parte deste livro, mas todas nos inspiraram e ajudaram a clarificar o que significa a gratidão.

Marcelo Galuppo

Várias pessoas compartilharam suas leituras e suas histórias sobre gratidão comigo: Augusto Lacerda Tanure, Giordano Bruno Soares Roberto, Ivana Zaine Almeida, Ludgero Bonilha de Moraes, Luiza Simonetti, Márcia Galuppo Mattar, Samir Galuppo Mattar e Vitor Maia Veríssimo. Também gostaria de agradecer àquela que é a mais crítica de meus leitores, Carla, e a seus filhos, João Marcelo e Ana Ester. Talvez eles achem um pouco farisaico o que foi escrito neste livro, conhecendo o autor tão de perto, mas é preciso lembrar o que Jesus Cristo disse sobre os fariseus: não façam o que eles fazem, mas façam o que eles dizem para vocês fazerem. Finalmente, gostaria de agradecer ao Davi Lago, por dividir seu tempo comigo, e a Deus, por ter colocado todas essas pessoas maravilhosas em minha vida.

Davi Lago

Gostaria de agradecer à minha esposa, Natalia, e minha filha, Maria. Agradeço a Deus diuturnamente pela vida delas. Várias pessoas me inspiraram a ingressar neste projeto – especialmente minha família: Elienos Lago, Esmeralda Lago, Roberto Assunção, Dirce Assunção, Geovanni Maurício, Roberta Assunção, Giovanna Assunção, Daniel Assunção, Karine Lago e Raphael Sathler. Agradeço também a meus irmãos, Lucas Lago e Priscila Lago, com quem aprendi a dividir tudo desde criança, de balas *Skittles* ao tempo no Nintendo; das densas angústias às mais puras alegrias da vida. Por fim, agradeço ao meu professor e mentor acadêmico Marcelo Campos Galuppo, por ter me ensinado a pensar com rigor sem perder a fé, a esperança e o amor.

Que tal praticar um exercício e tentar reclamar menos? Recorte esta e a próxima página e acompanhe sua melhora diária.

ESTOU HÁ

HORAS

SEM RECLAMAR

MEU RECORDE

É DE ☐☐ HORAS

SER MAIS GRATO(A) ME AJUDARÁ A BATER ESSE RECORDE

ESTOU HÁ

SEM RECLAMAR

MEU RECORDE

É DE ☐☐ DIAS

SER MAIS GRATO(A) ME AJUDARÁ A BATER ESSE RECORDE

Livros para mudar o mundo. O seu mundo.

Para conhecer os nossos próximos lançamentos
e títulos disponíveis, acesse:

www.**citadel**.com.br

/**citadeleditora**

@**citadeleditora**

@**citadeleditora**

Citadel - Grupo Editorial

Para mais informações ou dúvidas sobre a obra,
entre em contato conosco pelo e-mail: